N文库

Inagaki
Hidehiro

稻垣荣洋
科学散文集

一动不动的植物

[日] 稻垣荣洋 / 著
[日] 龟田伊都子 / 绘
沈于晨 / 译

贵州出版集团
贵州人民出版社

SHOKUBUTSU HA NAZEUGOKANAINOKA — YOWAKUTE TSUYOI SHOKUBUTSU NO HANASHI
by Hidehiro Inagaki
Illustrated by Itsuko Kameda

Original Japanese edition published by Chikumashobo Ltd.

This Simplified Chinese edition published by arrangement with Chikumashobo Ltd., Tokyo, through Tuttle-Mori Agency, Inc.

著作权合同登记号 图字：22-2024-131 号

图书在版编目（CIP）数据

一动不动的植物：稻垣荣洋科学散文集 /（日）稻垣荣洋著；（日）龟田伊都子绘；沈于晨译．-- 贵阳：贵州人民出版社，2025. 1. --（N 文库）. -- ISBN 978-7-221-18804-5

Ⅰ. Q94-49

中国国家版本馆 CIP 数据核字第 20242C43B3 号

YIDONGBUDONGDE ZHIWU (DAOYUANRONGYANG KEXUE SANWENJI)
一动不动的植物（稻垣荣洋科学散文集）
［日］稻垣荣洋 / 著
［日］龟田伊都子 / 绘
沈于晨 / 译

选题策划　轻读文库　　出 版 人　朱文迅
责任编辑　彭　涛　　特约编辑　张宝荷

出　　版　贵州出版集团　贵州人民出版社
地　　址　贵州省贵阳市观山湖区会展东路 SOHO 办公区 A 座
发　　行　轻读文化传媒（北京）有限公司
印　　刷　天津联城印刷有限公司
版　　次　2025 年 1 月第 1 版
印　　次　2025 年 1 月第 1 次印刷
开　　本　730 毫米 × 940 毫米　1/32
印　　张　5
字　　数　92 千字
书　　号　ISBN 978-7-221-18804-5
定　　价　30.00 元

关注轻读

客服咨询

目录

Chapter 01
植物为什么一动不动?

弱小又强大的植物之生存方式

植物不会动，不像我们人类一样会奔走跑跳，也不用吃东西。

可植物为什么一动不动呢？如果我们这么问，植物一定会反问："那为什么人类不动就活不下去呢？"其实，植物一动不动仅仅是因为没有活动的必要，而动物不动则无法生存，所以需要不断走动，这也是为什么动物的名字里有个"动"字。

植物的生存方式和人类等动物完全不同，它们究竟是一种怎样的生物？

人类才是稀奇的生物

人类被称为"万物灵长"，或许正因如此，我们才会习惯用人类的标准去看待其他生物。比如根据其生存方式与人类的相似度来划分生物的等级，把相似度高的生物视为"高等生物"，对之倾注十分的关注，对相似度低的"低等生物"则极其蔑视。

其实，所有生物都在为了生存而进行高度进化。例如人类只有一个大脑，但昆虫却拥有很多个"大脑"[1]，每个大脑支配不同的跗节。因此，昆虫一旦遇到刺激就会立刻产生行为反应。譬如当人举起拖鞋想要打蟑螂时，蟑螂能够瞬间感知到空气的振动然后马

1 昆虫的大脑由大量神经元相互连接的结构组成，分布在全身各处。——译者注（如无特殊说明，本书注释均为译者注。）

上逃走。

人类的大脑是一个高度发达的信息系统，我们会将感觉器官收集到的所有信息集中于大脑，然后对事物进行判断，但这种方法只不过是进化形态的其中之一。假设蟑螂拥有和人类一样高度发达的大脑，那它们就会对遇到的情况深思熟虑——危机是否快要来临？我该不该逃跑？可一旦“三思而后行”，那么在拖鞋之下必然难逃一死。

又或者，蜜蜂能看到人类看不见的紫外线，蝙蝠能听到人类听不见的超声波，可如果我们问为什么蜜蜂能看得到？能听到超声波是一种什么样的感觉？那想必它们也会反问：为什么人类看不到？听不到超声波的世界又是什么样的？

人类的生存方式并非理所当然。也许在其他生物的眼里，我们人类尽想些无聊的事情，这种生存方式才更稀奇吧！

植物是低等生物吗

古希腊哲学家亚里士多德认为自然界中存在等级，无机物之上是植物，植物之上是动物，而动物之上是人类。也就是说，所有生物中植物居底层，而人类居顶端。佛教禁止杀生，所以禁食荤腥，但僧人也吃大米和蔬菜呀！诚然，如果连植物都禁止食用的话，那人类早就活不下去了。但显然，人们并未将食用大米和蔬菜划入“杀生”之列。

可植物也是有生命的生物。所有生物都为了在大自然中活下去而通过各种形式进化成高度发达的结构，植物也不例外。或许植物看上去只是数量多、结构简单，但为了在严峻的环境中生存，它们同样进化出了高度发达的结构。虽然它们的生活表面上风平浪静，但每天都在进行激烈的生存竞争。

我们现代人的竞争社会虽说残酷，但也远远不及植物所面临的严峻环境。它们群雄割据，争先恐后地抢夺阳光和生存空间。“生存”一事于植物而言非常艰难。存活至今的植物全都是生存竞争中的“宫斗冠军”。即便有些植物看似只是无意中得以存活，但为了在严峻的环境中生存、在竞争中获胜，它们也要花费不少工夫。

植物和人类同宗同源

日本人会在春分、秋分时节扫墓，以祭祀祖先。如果要寻根问祖，你的祖先能追溯到哪一辈？有些人至多知道上三代祖先，也有些人的族谱能够追溯到十代以上。虽然不知道你的祖先能够追溯到第几代和多少年以前，但如果上溯至数十万年前，想必我们的祖先都是一样的；若是200万年前，那大家的祖先都是直立人。假如把时间的指针再往前拨，就会发现我们人类和黑猩猩、猩猩等类人猿是亲戚，拥有共同的祖先。

类人猿由体形娇小的古猿进化而来，而古猿等哺乳动物的祖先则被认为是类似现代鼠类的小型生物。其实哺乳动物的祖先是爬行动物的一个类群。而爬行动物由两栖动物进化而来，两栖动物则由鱼类进化而来。如果追溯至4亿多年前的古生代志留纪，那么人类和鸟类、蜥蜴、青蛙、鱼类等所有动物都拥有同样的祖先。假如再追溯到6亿年前，那么我们脊椎动物和昆虫等节肢动物也是同宗同源。

如此追溯，我们最终会发现动物和植物其实是“同根生”，植物也是和我们有着“血缘关系”的亲戚。若思及起源，那我们在祭祀时，必须向所有生物的祖先双手合十。

植物的诞生

虽说植物和人类是亲戚，但在很久以前就已经划下了分界线。时至今日，两者的生存方式更是相去甚远。植物不会像动物一样自由移动，而是通过根部吸收水分和养分，靠自然光照存活。为什么植物的生存方式如此奇妙？接下来，让我们一起来看看这种奇妙的生物是如何进化的吧！

地球上的生命诞生于38亿年前，当时并无动物和植物之分。植物之所以是植物，是因为它们能够进行光合作用，也就是说，植物的细胞中含有叶绿体。

叶绿体是植物细胞中的一个细胞器，那么，它是如何形成的呢？实际上，叶绿体原本是一种独立的生物。生物学家林恩·马古利斯提出的“内共生学说”表明，叶绿体在细胞内拥有独立的DNA，可自行增殖。也就是说，进行光合作用的单细胞生物被其他更大的单细胞生物吸收后，在其细胞内共同生存期间演变为细胞器。

那么，进行光合作用的单细胞生物和大型单细胞生物是如何开始共生的呢？由于时间太过久远，我们只能进行推测。但即便是现在，变形虫等单细胞生物依然在进行着内共生，即吸收进行光合作用的单细胞生物后再将其消化。因此，人们普遍认为最初是大型的单细胞生物吸收了细菌，而这种细菌正是叶绿体的初始形态。但是这种细菌不会被消化，而是在细胞中存活。由于双方共存，单细胞生物可以从叶绿体的初始细菌形态中获取养分，而被吸收的细菌也可以从单细胞生物那里获取无机盐等无法通过光合作用生成的成分，如此便形成了共赢的共生关系。

尽管如此，想到植物细胞的祖先这般活跃，四处移动并捕食其他生物，还是让人震惊。后来它们因为获得了能够进行光合作用的叶绿体，才逐渐演变成静止状态。

线粒体也是一种细胞器，是通过有氧呼吸产生能量的主要场所。线粒体和叶绿体一样，都以同样的方式被细胞吸收入内。线粒体广泛存在于植物细胞和动物细胞中。这意味着，某种生物在与线粒体共生后，由于部分细胞吸收了叶绿体的初始细菌形态，从而与动物的祖先产生差别，成了植物的祖先。

如今，细胞内共生学说所表述的共生现象依然很常见。比如名为绿变形虫的变形虫体内共生着含有叶绿体的小球藻；被称为旋涡虫的扁形动物体内共生着藻类，二者都通过光合作用获取养分生存。绿叶海蜗牛也是一种奇妙的生物，可以将所食藻类中含有的叶绿体摄入体内，利用叶绿体的光合作用获取营养。

如此说来，人类也在进行着共生，而人类共生的对象就是其摄入体内的无数肠道细菌。其实，与食物共生的现象十分常见。

介于动物和植物之间的生物

动物和植物给人的印象或许是两种互不相容、完全不同的生物，但这种界定其实并不准确，也有些生物介于两者之间。

最近我听说有一种健康食品叫“裸藻”，这是一种单细胞生物，日文名叫“绿虫藻”。神奇的是，绿虫藻在动物图鉴和植物图鉴中均有记载。首先，正如其名，它内含叶绿体，通体呈绿色，而含有叶绿体这一点属于植物特征。其次，它带有鞭毛，会游来游去，这一点又属于动物特征，也就是说它同时具备植物和动物的性质。

绿虫藻的进化过程并不明确，但人们普遍认为拥有鞭毛的生物是通过和叶绿体的初始细菌形态共生进化而来的。不过，也有一些绿虫藻不含叶绿体。

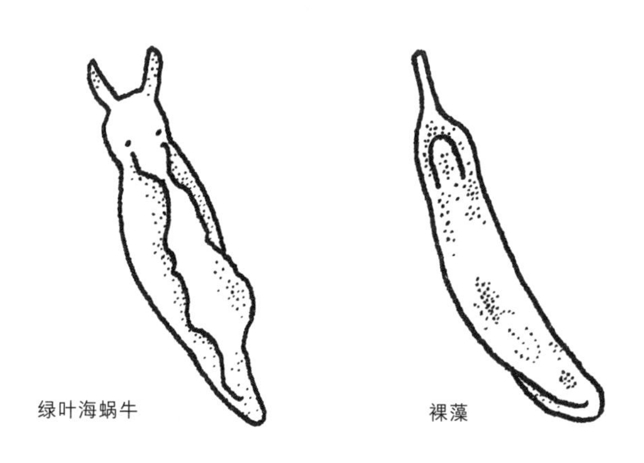

绿叶海蜗牛　　裸藻

一种叫“Hatena”的生物

“? ”（问号）在日语中读作“Hatena”。你知道有一种生物的名字就叫“Hatena”吗? 那是一种非常不可思议的生物，可以从动物变成植物。人们在2000年发现了这种生物，因为太过不可思议，便为它起了一个俏皮的昵称“Hatena”。后来，昵称成了正式的名字。这种生物的学名就叫“*Hatena arenicola*”[2]，“Hatena”在其中作属名。

惊叹虫是单细胞生物，带有鞭毛，会来回活动，符合动物的特征；但通体呈绿色并具有叶绿体。实际上，惊叹虫体内共生有绿藻类，依靠绿藻类光合作用产生的养分存活。

惊叹虫不可思议的地方在于它的细胞分裂。惊叹虫的细胞分裂为两个后，其中一个细胞内拥有绿藻类，而另一个没有，因此后者无法获取养分，就长出了“嘴巴”用来捕食。在这种细胞分裂的过程中，有一半惊叹虫失去了绿藻类；但实际上，几乎所有的惊叹虫都和绿藻类共生。也就是说，没有绿藻类的惊叹虫会捕食绿藻类并摄入体内，然后再和绿藻类共生。因此，惊叹虫也被认为是一种诞生于植物和叶绿体共生的进化过程

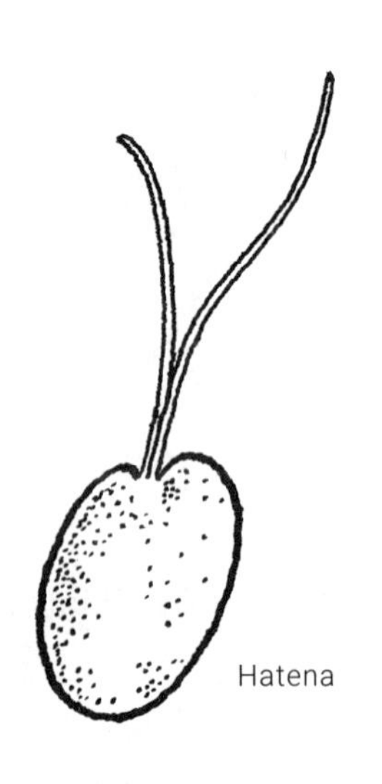
Hatena

2　中文名为惊叹虫。

中的生物。

惊叹虫同时具有植物和动物的生存方式，这真的非常不可思议！也许真的和我们所想的不同，植物和动物并没有很大的差别。

人为分类

日本虽然有47个都道府县，但地面上并不存在自然分界线，地图上的边界是人为划定的。富士山下的平原十分辽阔，那么富士山的地界到底有多大呢？因为并没有明确的分界线，所以我们可以说整个日本都是富士山，也可以说富士山根本不存在。

其实大自然中的万物都没有分界，所谓的分界线也不过是人类为了分类和理解而擅自决定的。比如，人类将某些植物称为蔬菜。但像西瓜和草莓究竟是蔬菜还是水果，不同国家的理解并不相同。在美国，人们甚至就“番茄到底是蔬菜还是水果”这个问题打起了官司。所以，世界上并不存在明确的蔬菜范畴，现有的范围不过是人类定义的。又比如，有种分类方式是单纯从大小来区分海豚和鲸鱼的，小于3米的是海豚，大于3米的则是鲸鱼。虽然生物学上对这点并没有明确的区分，但人类擅自画了线。我们将这种人类主观定义的分类方法称为“人为分类”，而自然界原本存在的分类叫“系统分类”，比如海豚和蒲公英明显属于不同物种。

自然界中人类已知的生物超过200万种。18世纪博物学家、被誉为“分类学之父”的林奈率先提出“两界系统”理论，将生物划分为植物界和动物界。而后又发现了许多微生物的存在，于是增加了原生生物界，由此诞生了新的生物学概念——“三界系统”理论。

那么，生物究竟应该如何区分呢？令人惊讶的是，即便现代科学技术已经显著进步，但依然没有明确的分类方法。不过这也是无可奈何的事。就像日本东北地区和九州虽然明显是两个不同的地方，但日本列岛上并没有划分界线；又如海豚和蒲公英明显是两个不同的物种，但在生物的世界里也没有明确的分界。

自然界是一个“无国界世界”，本身不存在任何分界。但是，人类利用大脑处理信息、进行逻辑梳理，假如不划分界线进行区分就无法理解，所以才产生了分界线。虽然我们把自然界原本存在的分类称为“系统分类”，但归根结底也是人类自己做的分类。

没有规定让海豚必须像哺乳动物，将来要怎么进化完全是它的自由。动物和植物似乎是两种完全不同的生物，但本质很有可能是一样的，只是碰巧有些进化成了动物，有些进化成了植物。人类把绿虫藻视作一种奇妙的生物，是因为它同时具有植物和动物的特征，但这种所谓的“奇妙”也不过是不符合人类制定的规则而已，对绿虫藻本身来说是再正常不过的进化。

林奈分类法

“分类学之父”林奈将生物按等级分类。就像日本的邮寄地址会逐级细化到“都道府县”“市区町村”“字”[3]“番地”[4]，这样邮件才能被准确无误地送到我们的家里，同理，林奈也通过这种“以大化小”的方法对生物进行分类。现在，生物的基本分类单位有8个，分别为域、界、门、纲、目、科、属、种，例如狮子为真核生物域—动物界—脊椎动物门—哺乳纲—食肉目—猫科—豹属。

林奈也提出了“双名命名法”，即用“属名”和“种加词”共同构成该物种的学名。前者代表相似的物种群体，后者列出了物种的名字。例如，狮子的学名叫*Panthera leo*。这个名字分为两部分，前半部分为属名，后半部分为种加词。Panthera意为豹属，也就是说，豹属中被称为“leo”的生物就是狮子。又比如在植物中，向日葵的学名叫*Helianthus annuus*，代表着它是“Helianthus”（向日葵属）的“annuus”（一年生）植物。

这种命名方法就像我们人类的名字是由姓和名组

3　字，日本镇村区划名。

4　番地，门牌号。

成的一样。例如，“山田太郎”这个名字代表的是“山田”家族的“太郎”。但是，山田太郎可能会存在同名同姓的情况，而生物学名必定只有一个，绝无重复。

林奈

对了，“双名命名法”中生物的学名由拉丁语构成，虽然林奈来自瑞典，但他决定采用拉丁语而不是瑞典语，这恰恰是他的厉害之处。林奈选用拉丁语是有原因的。拉丁语是一门通用语言，因此，林奈选择拉丁语的第一个原因就是公平，全世界的人都可以使用；第二个原因是人们使用的语言会因为时代的不同而变化，日语似乎也是如此，但因为拉丁语在日常交流中不再被广泛使用，所以它便再无变化。因此，他选择了拉丁语作为命名生物学名的语言。

什么是“种”

“种”是生物最基本的分类单位。

很早很早以前，人类就对生物进行了区分，并为它们命名。狗和猫在外形上就不一样，连幼儿园小朋友都能区分。狗和狼也不同。在绘本中，桃太郎带着狗前往鬼岛，而狼将三只小猪从家里赶走，还吃了小红帽的外婆。狼不会成为桃太郎的随从，狗也不会袭击三只小猪和小红帽。但是分类学将狼和狗归为了同种，这又是为什么呢?

林奈为生物取了学名，并将其分成不同的生物种。当时他的分类方法和幼儿园小朋友的一样——看外形。可有时两种不同的生物杂交产下了杂种，导致生物种连续发生形态变化，无法划分清晰的界线。

进化学家达尔文写道:“因为想要把原本无法区分的东西分类才导致了这样的结果。”达尔文明确表示，生物种不是神的手笔，而是来自进化。因此，种不断地在发生变化。现代生物学依据“不同种的个体间有无法交配的生殖隔离”来区分生物种。因为狗和狼可以杂交，所以属于同一种。但它们并不完全相同，因此，“种”之下还设有叫“亚种”的一级。狗和狼虽然是同种，亚种却不同。

可是，这也并不意味着万事大吉。虽然种的概念在动物界很明确，却不太适用于植物。不同种的植物也存在种间杂交制种的情况；还有很多植物进行营养繁殖[5]，并不生产种子。“种”这个概念在植物界其实

5　营养繁殖，也称为无性繁殖。

尚不明确。

没办法，因为自然界本就没有对此进行区别，也没有必须进行区别的理由，这样的划分与整理只是人类为了方便自己理解而已。植物的繁衍跳出了人类的思考框架，没有任何规则。它们的生存方式远比人类所想的更加自由。

植物可以自由变化形态与大小

相较于动物，植物更容易发生变化。据图鉴所示，向日葵的高度为2 ~ 3米，但1米左右的向日葵也很常见，甚至低矮一些的连50厘米都不到。根据吉尼斯世界纪录记载，世界上最高的向日葵超过9米。即便是同一种正在盛放的向日葵，其中小型和大型植株的差距也能达到10倍以上。

植物的高度与大小似乎是既定的，又似乎不是。例如，有些松树高达几十米，需要仰视；有些松树却只是盆栽，被养在小小的花盆里，即便树龄已经超过100年。又比如，有些牵牛花会一直攀缘到两层楼高，而有些小型牵牛花却只有纸灯般高。所以，植物的高度和大小非常灵活。

但动物不会如此。即便略有差异，动物的大小也基本是确定的。比如老鼠再大也不会庞大如牛；反之，牛再小也不会小过老鼠。人类也一样，长得再高也不过两米多；反之，不管多娇小，只要是成人，大多会有1米。所以巨人和矮人之间的差距至多不过两倍。

植物是重复的构造

植物能够自由地变化大小，所以可以适应各种各样的环境，但它们为什么能做到这一点呢？动物身体

的各个部位有各自的作用，例如脚负责走路，眼睛和耳朵负责获取信息，胃肠负责消化和吸收食物，心脏负责血液循环。

与之相比，植物各部分的分工并不明确，比如茎部上方和下方的叶子同样进行着光合作用和呼吸作用。许多动物都是四条腿、两只眼、两只耳，但植物的枝叶数量却不固定。打个比方，就像一家大型公司由开发部、制造部、销售部、后勤部、财务部等部门构成，动物的各个器官也承担着不同的职能，共同构成一个身体。反观植物，它们如同一条汇集了多家个体户的商业街，每家个体商店都是一个小单位，所有小单位汇聚在一起形成了这条街。因此，就像商业街会因为商店的数量而变长或变短一样，植物也可以改变大小。

植物由茎、枝、叶这几个基本模块构成。植物的生长就是一个不断重复的过程，这些基本模块组成了植物。因为拥有这种构造，植物可以变换大小甚至形状，就像堆积木玩具一样。

用部分实现整体重生

如同一家大型企业由很多部门构成一样，动物的各个器官也有着不同的作用，然后组成一个身体。如果一家公司仅有后勤部，那将无法运营。

但正如前文所说，植物体的构造宛如由个体户汇集而成的商业街。在一条商业街上，每家店都从事着销售、会计和产品开发等工作，比如文具店店主采购和出售笔记本，隔壁的拉面店策划新菜单、出售拉面和炒饭。就商业街而言，如果大多数店铺都消失不见，那么这条街很难继续立足；但对于拉面店来说，如果隔壁的文具店倒闭了，它的生意并不会受到影响。同理，植物由很多基本模块汇集而成，所有的器官都能独立生存。

人类失去了头颅就再也长不出新的，而且大脑是对生存至关重要的中枢器官，一旦失去，人类将瞬间死亡。但植物并非如此，即便失去了茎部前端，树枝也会横向生长；即便没有了叶子，也能长出新的叶子；即便根部被掐断，还会延伸出新的根部。因为植物体是各个基本模块的组合，所以如果某一部分被破坏，只要增加新的模块，同时生成新的茎、叶和根，那就不会影响植物体的生存。

插枝和芽插就是利用了植物的这种性质。如果剪下植物的枝并插进土里，那么不久后它就会生根并长出新的植物。植物通过部分实现整体再生并继续繁衍。哪怕只凭借一个细胞，植物也能做到这点。

我们说植物在不断重复基本构造，但从细胞层面来看，所有生物都是如此。一切生物都由“细胞”这个基本单位构成。细胞集聚后会生成人类的头颅与手足，也会形成植物的叶和根。细胞的基本构造都一样，所有用于形成身体的信息都会进入细胞，细胞再利用这些信息演变成各种各样的器官。

这样想来，既然细胞中含有所有信息，那么理应可以通过一个细胞实现人类身体的再生。但这件事非常困难，因为动物的细胞一旦被赋予了某种作用，比如成为皮肤或者内脏，那就像固定了一样，很难再分化成其他器官。

但是，植物把“重复基本构造”普及到了细胞层面。因此，植物只要培养一个细胞就能制造所有器官，从而实现植物体的再生，我们将植物细胞的这种特征称为“全能性”。

第一章小结　植物不会动

植物不会动，这个性质被称为“固着性”。因为植物可以自己制造营养，所以没必要像动物一样为了寻找食物而四处奔走。因此，植物一动不动。

但有时候，植物并不是“不想动”，而是“不能动”。当有敌人来袭时，动物可以逃跑，植物在害虫侵袭时却跑不了。而且，如果动物住得不太开心可以去寻找更合适的栖息地，但植物无法移动，无论身处怎样的环境都只能认命。

植物具有固着性，一旦在某个地方生根，就只能在那里生活。我认为植物的这种生存方式是改变“可以改变的东西”，那么什么是“可以改变的东西”呢？很遗憾，植物并没有能力改变环境，所以它们可以改变的东西就是“自己”。

因此，植物会发生各种各样的变化，我们将这种能够变化的能力称为“可塑性”。即便存在些许差异，人类的体形身高也基本相当；而植物的形态和大小则具有很高的自由度。即便是同样的植物，也会有大有小，枝丫会纵横伸展，形态也各不相同。它们通过改变自己来适应环境。

“固着性”和“可塑性”都是植物的生存方式。

我们人类是动物，所以可以自由活动，但生活在现代社会的我们并不能像野生动物一样自由地选择环境，所以也会常常觉得受到束缚。植物不会动，所以不会逃离环境，而是接受环境、改变自身，这种生存方式对于我们现代人来说或许有可借鉴的地方。

那么，具有可塑性的植物曾发生过怎样的变化呢？在下一章中，让我们一起来细述植物的进化历程吧。

Chapter 02 植物是怎样诞生的?

弱小又强大的植物之进化故事

希腊哲学家亚里士多德曾说“植物是倒立的人类”。我们人类摄取营养的嘴巴位于上半身，生殖器官位于下半身；植物摄取营养的根部位于下半身，生殖器官“花”则位于上半身。植物和人类完全是相反的生物，如此说来，彼此无法理解或许也是有道理的。

我们可以将动物和昆虫拟人化然后代入感情。但植物呢？在懵懂无知的童年，我们曾天真地给花朵画上笑脸。可在理科课堂学习植物的相关知识后，我们却越来越难理解植物的生活，无法对它们产生任何感情。

植物真的是一种不可思议的生物。明明同样是生存在地球这颗行星上的生命体，明明同样有着由细胞汇集而成的基本构造，但动物和植物的身体却完全不同，至于生存方式和生活习性更是“水火不容”。

大约38亿年前，当地球初次诞生生命时，植物和动物是完全一样的生命体，毫无区别。但不知道从什么时候开始，植物和动物之间有了分界线，各自走上了不同的道路。植物是如何成为植物的呢？在本章中，让我们一起来回顾植物的进化之路吧。

陆生植物的祖先

一直以来，人们普遍认为地球上的绝大多数生命都源自海洋。但是到了大约5亿年前，地幔对流导致巨大的陆地出现，于是，大海中的生命开始向广阔的陆地进发。生物进化图鉴里的插图画有长着脚的鱼类登陆，令人印象深刻。但那时，陆地上已经有植物生长了，所以相比之下，植物比动物更早地抵达了陆地。

如今陆生植物的祖先被认为是一种叫作绿藻类的藻类植物，分布于海洋浅滩等地。海洋中有多种藻类，包括绿色的绿藻类、褐色的褐藻类、红色的红藻类等。绿藻类呈绿色是因为它不吸收绿色的光，只反射它，即只吸收蓝色光和红色光然后进行光合作用。蓝色光和红色光是光合作用效率最高的光，因此，栖息在有光照的浅滩上的绿藻类吸收这两种颜色的光，以获取更多养分。

对了，水吸收红色光。红金眼鲷和褐菖鲉等栖息在深海的鱼呈鲜艳的红色，因为红色光无法到达海底，所以体表呈红色可以帮助它们在海底隐匿身形。水中的褐藻类则吸收蓝色光进行光合作用。另外，如果水面上有浮游植物，那它们就会吸收蓝色光，于是蓝色光就无法抵达水下，红藻类便只能被迫吸收光合作用效率较低的绿色光。

如今的陆生植物的叶子为什么是绿色的？这是因为它们的祖先是吸收蓝色光和红色光进行光合作用的绿藻类。随着陆地逐渐隆起、浅滩干涸，栖息于浅滩的绿藻类被迫进入陆地。

植物进入陆地

因为绿藻类需要进行光合作用，所以可以充分沐浴阳光的陆地对它们来说是个条件非常优越的环境。但是，陆地上的生物需要面临有害紫外线的问题。所幸植物改善了陆地环境——在海洋中进行光合作用的细菌和植物释放出氧气形成臭氧层，臭氧层能吸收紫外线，从而使到达地面的紫外线减少。

植物的登陆可追溯到4亿7千万年前（古生代奥陶纪），而鱼类登陆是3亿6千万年前（泥盆纪），所以植物的登陆要比鱼类早1亿多年。最早登陆的植物是类似苔藓的植物。苔藓与在水中生存的绿藻类一样，都是通过体表来吸收水分和养分，因此只能生活在水边，以确保自己身处湿润的环境。

而为了适应陆地生活，蕨类植物发生了进化。首先，蕨类植物的茎部变得更加坚固。在陆地上，茎部必须足够坚固以支撑身体，而在水中没有这个必要。同时为了耐干燥，它的表皮也变得十分坚硬，从而锁住体内的水分。但坚硬的表皮虽然可以防止水分渗出，却也会使吸收外部的水分变得困难。因此蕨类植物又让根部和维管束发生了进化，从而能够吸收外部的水分并让水分遍布体内。

维管束的发达令蕨类植物能够在体内高效运输水分。与此同时，它们的枝丫也变得更加繁茂，而枝丫增加后就会长出很多叶子，以进行光合作用。这样一来，植物变得高大且结构复杂。

无根无叶的植物

松叶蕨的特征与最初的蕨类植物十分相似。我们将没有根据的谣言称为“无根无叶的传闻”，而松叶蕨就是无根无叶的植物。它的身体只有“茎”。茎部分别在地下和地上分枝，地下的茎负责吸收水分，最终变成根部；地上的茎则进行光合作用，最终变成叶子。

土和砂有什么区别？砂硬且冷，土则让人觉得柔软温暖。“砂”字写作“石字旁边一个少”，正如字面意思所示，岩石崩裂后变成石头，石头变细后变成砂。土则来源于有机物，生物死骸等物质分解后变成了土。因此，地球上刚形成陆地时并没有土，但在苔藓植物不断进行生命活动和世代交替的过程中，枯死的苔藓分解、积蓄而逐渐形成了土。蕨类植物的根部也在土壤中逐渐发达。

松叶蕨

如此想来，地球表面从“寸土不生”到如今被土覆盖，真的好厉害啊！地球果然是一个创造生命活动的行星。

植物登陆后形成陆地生态

蕨类植物自水边进入陆地后，一直在水边生活的两栖类动物进化成了爬行动物，而爬行动物是恐龙的祖先。随着蕨类植物的进化及发展，植物的数量和种类不断增加，各种以植物为食的爬行动物种类也有所增加，以草食爬行动物为食的肉食爬行动物种类也随之递增。就这样，蕨类植物的繁荣造就了丰富的生态系统。

动物的进化与繁荣常常与植物相生相伴。但实际上，虽说蕨类植物已经进入陆地，但它们依然无法远离水边。到了古生代末期，裸子植物闪亮登场。我们将使蕨类植物进化为裸子植物的划时代产物称为“种子”。

虽然种子具有划时代的意义，但大家是不是很难理解这究竟是怎么回事？没关系，在研究种子之前，我们先来复习一下植物的生活史。

植物拥有两个世代

植物的生活史由“孢子体”和“配子体”两个世

代构成。孢子体具有两组染色体，称为双倍体（2n）；配子体只有一组染色体，称为单倍体（n）。动物一般都是双倍体，例如人类的体细胞有46条染色体，共计两组，23对；减数分裂产生的卵细胞和精子为单倍体。动物只有用于生殖的生殖细胞是单倍体，但植物不同，孢子体（双倍体）和配子体（单倍体）更加难以区分。

蕨类植物的生命周期在孢子体和配子体之间交替完成（图2-1）。蕨类植物通过产生孢子进行繁殖，但孢子体并非由孢子形成，而是进行减数分裂产生孢子的一个世代，这一点很容易弄错。我们常见的蕨类植物通过产生孢子进行繁殖，即产生孢子的蕨类植物就是孢子体。孢子体是双倍体，通过减数分裂产生的孢子是单倍体，孢子形成课本中常见的原叶体，而原叶体是单倍体，也是配子体。

原叶体是单倍体，所以不会进行减数分裂，而是直接产生单倍体的卵细胞和精子。由于卵细胞和精子为配子，所以原叶体也被称为配子体。

产生孢子的蕨类孢子体并无雌雄之分，所以孢子体被称为无性世代。而作为配子体的原叶体具有产生精子的精子器和产生卵细胞的颈卵器，所以配子体被称为有性世代。

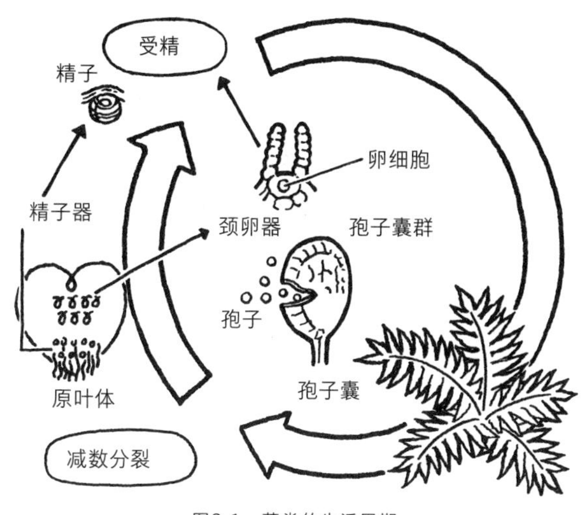

图2-1　蕨类的生活周期

苔藓和蕨类的区别

那苔藓呢？苔藓和蕨类完全不同，更为复杂。相较于苔藓植物，蕨类植物看上去似乎更加先进，所以人们普遍认为是苔藓进化成了蕨类，但实际上并非如此。

好比我们人类和黑猩猩是由共同的祖先进化而来的，而不是黑猩猩进化成了人类，苔藓植物和蕨类植物也被认为是近亲或者由共同的祖先进化而来。苔藓绝非“落后”的植物。就连诞生自古生代、被称为活化石的蟑螂也在不断进化，现在出现在我们眼前的生物都是其自身不断适应环境与进化的结果。

常见的蕨类植物没有雌雄之分，而苔藓分为雄株和雌株。雄株产生精子，雌株产生卵细胞。也就是说，我们看到的蕨类植物是孢子体，苔藓是配子体（图2-2）。但复杂的是，苔藓植物通过雌株产生的孢子进行繁殖，而产生孢子的世代本应被称为孢子体，苔藓的雌株却是配子体。

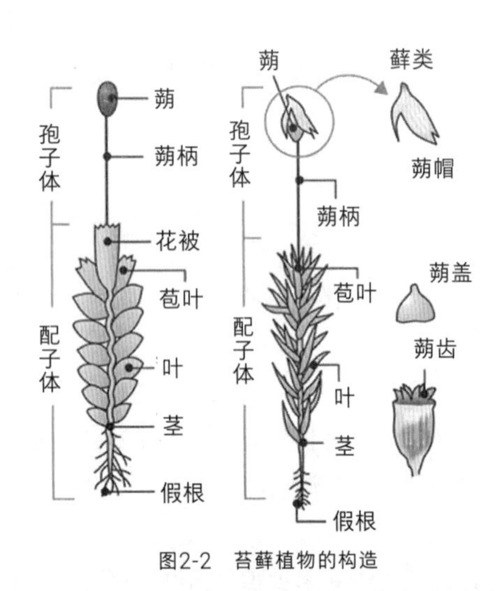

图2-2　苔藓植物的构造

其实是这么回事。苔藓雄株产生的精子游到雌株后受精，产生的受精卵是双倍体的配子体。这个受精卵寄生在雌株上，在雌株上出芽，然后孢子体在雌株上产生孢子。也就是说，苔藓的雌株为双层结构，下方为配子体，上方为孢子体。

种子植物的进化

裸子植物和被子植物都以种子进行繁殖，故而统称为种子植物。那么，种子植物是如何在孢子体和配子体之间进行世代交替的呢？

一般来说植物都是孢子体，通过减数分裂产生孢子。胚囊和花粉是植物的配子体，都非常小，只能通过显微镜观察到。其中胚囊是一种具有胚的小型器官，通过减数分裂形成。当花粉与胚完成受精后再次产生种子（孢子体）。总而言之，种子植物在孢子体和配子体这两个世代间循环交替，其中配子体的阶段非常短，几乎都处于孢子体阶段（图2-3）。

蕨类植物在孢子体阶段产生孢子，然后通过孢子的散布迁移到远处。孢子萌发后会形成名为“原叶体”的小型植物体，精子游向卵细胞后在原叶体上完成受精，进行“自我繁殖”。虽然偶尔也会有附近的其他精子游过来，但它们也只是和附近的个体进行交配。

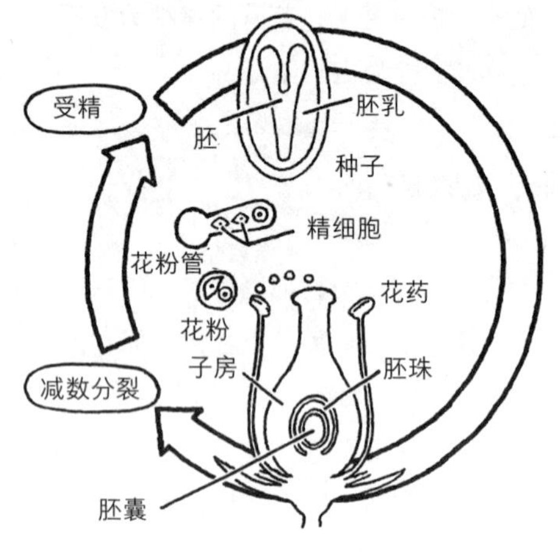

图2-3 种子植物的生活周期

种子植物在孢子发育后会产生花粉。蕨类的孢子虽然没有雌雄之分，但花粉是雄配子体，通过迁移能与更多种类的个体进行交配，从而繁衍多样化的后代，提升进化速度。就这样，比蕨类植物更先进的裸子植物诞生了。

与此同时，当作为动物食物的植物变得多样化以后，动物也再次实现了进化。裸子植物的进化促进了恐龙的多样化。裸子植物为了不被食草恐龙吃掉变得越来越高大，而恐龙为了吃掉变得高大的裸子植物也变得越来越庞大。就这样，裸子植物和恐龙之间的巨大化竞争愈演愈烈，形成了以巨型裸子植物森林和巨大恐龙为主角的生态系统。

适应干燥

蕨类植物在原叶体上产生精子和卵细胞，精子在水中游向卵细胞后进行受精。精子向卵细胞的游动与结合就是生命在其初始阶段居于大海的印记。或许你会觉得蕨类植物非常古老，但就连自认为站在生物进化顶端的人类，繁衍方式也和蕨类植物一样，都是精子游到卵细胞后受精。只不过这个过程在人体内进行，而不是在海洋。生物在进化时需要克服的课题，是如何在陆地上复刻生命起源的原始海洋环境。

进入陆地的蕨类植物也因为受精过程离不开水，所以只能在潮湿多水的地方繁殖。因此，尽管蕨类植物非常繁茂，但依然只能在水边生存，无法向广阔的陆地进发。那么，种子植物呢？种子植物分为裸子植物和被子植物。接下来我们先来看裸子植物，它是原始的种子植物。至于更加先进的被子植物，我们到下一章再详细分析。

很多种子植物都没有精子，不过为了和蕨类植物做比较，我们在此以有精子的银杏为例。银杏的受精形式非常古老，发芽后它的花粉会在花粉管内活化成精子。其种子内拥有让精子游泳的“大海”，精子和卵细胞受精后生成受精卵。苔藓植物和蕨类植物的受精离不开水，但银杏不同，即便环境干燥，也可以在体内制造“大海”让精子游泳。

其他种子植物则更发达，花粉中的精细胞通过花粉管后和卵细胞结合并受精。精细胞虽然和精子类似，但既无鞭毛也不会游泳，所以只被称为精细胞。在花粉管的保护下，精细胞能够抵达卵细胞所在，于是种子植物的分布区域也拓展到了无水的干燥地区。

种子：移动的时间胶囊

扯远了，再说回种子。植物不会动，但并不是完全没有移动的机会。苔藓植物和蕨类植物可以通过孢子迁移，但受精卵无法移动。苔藓植物的受精卵在雌株上产生孢子体，蕨类植物则是由原叶体上产生的受精卵生成我们常见的蕨类植物体。

种子植物一生中则有两次移动的机会。第一次是花粉，花粉由蕨类植物和苔藓植物的孢子进化而来。第二次是种子，种子植物成功地利用受精卵实现了移动，而受精卵就是种子。种子通过坚固的种皮来保护自己，因此比孢子更耐干燥。而且在坚固种皮的保护下，胚可以一直等待发芽

的时机。孢子缺水就必死无疑，但种子不同，即便没有水也可以长时间“待机”直至获取水分。这样一看，种子是不是很像时间胶囊？

因为有了这种“时间胶囊”，种子植物的分布区域拓展到了干燥的内陆地区。就像蒲公英的种子被风吹散，苍耳通过附着到动物毛发和人类衣服上来实现种子搬运一样，即便到了今天，种子也是一种扩大植物分布范围的优越的移动方式。

继恐龙时代的主角裸子植物之后，如今发展最繁荣的植物“被子植物”闪亮登场。下一章中我们将一起来探讨关于被子植物的故事。

第二章小结　植物是环境破坏者？

科幻电影里，在不远的将来，繁荣的大地被放射能污染，许多生物面临灭绝危机，但以放射能为食的“怪兽”生物却最终实现了进化。其实这绝不是科幻世界，正是生物进化的故事。

时间追溯到38亿年前，地球上诞生了生命。然后某个时候出现了令人害怕的进化生物——单细胞生物“浮游植物”。浮游植物带有叶绿体，会进行光合作用，通过二氧化碳和水制造能量源。但是光合作用会释放出“废弃物”，而这种废弃物就是氧气。氧气原本是一种会让所有东西都生锈的有毒物质，甚至连铁、铜等坚固的金属接触到氧气后也会生锈，变得破烂不堪。

可这时又出现了另一种生物。这种生物不但不会因为植物产生的氧气的毒性而死亡，反而可以把氧气摄入体内进行生命活动，那就是动物的祖先“浮游动物”。氧气有毒，但也具有生产能源的爆发力。获得氧气的微生物可以利用这种强有力的能源自由活动，并利用丰富的氧气产生坚固的骨胶原，让身体变得更加庞大，就像科幻电影中因为放射而变得巨大的怪兽一样。

释放出的大量氧气导致地球环境大变样。氧气遇到紫外线会生成一种叫臭氧的物质。浮游植物产生的氧气最终会变成臭氧，飘浮到上空形成臭氧堆并且充满大气层，如此便形成了臭氧层。臭氧层可以吸收有害的紫外线，减少到达地面的有害紫外线。于是，海洋植物在最佳的环境条件下向陆地进发。由此，植物因改善自我状态而导致地球环境发生了大幅改变。

氧气导致地球上很多微生物灭绝，少部分幸存的微生物也只能藏身于地下和深海等无氧环境。随着时间的流逝，地球上诞生了人类。人类创造文明，燃烧煤炭和石油等化石燃料，消耗大气中的氧气，导致二氧化碳浓度上升。人类释放出的氟利昂破坏了由氧气形成的臭氧层，于是原本被遮挡的紫外线再次降临地球。人类还大肆砍伐陆地上广阔的森林，致使制氧的植物减少。

未来世界或许会退回到古时候的环境——那个生命诞生以前充满二氧化碳和紫外线的地球。但我担心人类只能在植物创造的地球环境下生活，就像很多生物在植物创造的世界中实现进化一样。无论人类如何改变环境，总会有某些生物进化吧？但在那个环境下，人类一定无法幸存。

Chapter 03

为什么恐龙会灭绝？

弱小又强大的花朵诞生啦

曾经称霸地球的恐龙为什么会灭绝？答案迷雾重重。

据说导致恐龙灭绝的直接原因是6550万年前墨西哥尤卡坦半岛上发生的陨石坠落，当时铺天盖地的粉尘覆盖了整个地球，同时隔绝了太阳光，导致环境发生了巨大变化。

但是众所周知，恐龙这一物种在陨石撞击前就已经逐渐走上了衰落之路。据推测是因为开花的被子植物发生了进化。为什么植物的进化会将恐龙逼到绝境呢？让我们一起来看看被子植物的进化。

被子植物的戏剧性进化

种子植物能产生种子，可分为“被子植物”和“裸子植物”。

课本上写到两者的区别在于裸子植物的胚珠“裸露在外”，被子植物的胚珠“被子房包裹，不裸露在外”。大家也许会觉得，胚珠是否裸露在外这一点真的那么重要吗？重要到成为种子植物的分类标准？然而，胚珠被子房包裹这件事对于植物的进化来说真的是个大事件，植物因此而发生了革命性的进化。

所谓胚珠就是种子的前身。种子是植物最重要的东西，是它们的后代，所以将胚珠裸露在外就相当于把最重要的东西置于无防备的状态下。在某个时候出现了一种新的植物，将重要的种子包裹在子房内，那就是被子植物。而这个子房的出现为植物带来了革命性的变化。

提到动物的进化，鱼类和两栖类的受精方式都是体外受精。受精的目的是繁衍子孙后代，这也是它们最重要的任务。可是在严峻的环境下，体外受精面临着巨大的风险。因此，爬行动物、鸟类和哺乳类的受精方式发生了进化，变成安全地在雌性体内受精。

胚珠被包裹代表着可以在子房内即植物体内进行受精。除了安全，体内受精的方式还具有革命性的意义——那就是提升了受精速度。

进化速度加快

既然如此，为什么裸子植物一开始要将重要的胚珠裸露在外呢？那是因为胚珠必须和花粉完成受精后才能形成种子，而与花粉接触的方式是捕捉通过风力传播的花粉，所以胚珠必须裸露在外。

被子植物则发育出了具有子房的雌蕊，于是附着在雌蕊前端的花粉通过花粉管深入雌蕊内部，接着在子房中和胚珠进行受精。这种在植物体内安全受精的方式使植物的胚可以时刻保持成熟状态，以便随时受精，一旦花粉到来就可以立刻授粉。当雌蕊沾染花粉后，快则几小时，慢则几天即可完成受精。

裸子植物则得将到来的花粉先收集起来，再等待胚珠成熟。我们以代表性的裸子植物松树为例。松树会在春天产生新的松果，而松果就是松树的花。裸子植物不知道可以利用昆虫搬运花粉，所以它们传播花粉的媒介是风。当松果的鳞片打开时，花粉就会侵入其中，随后松果闭合直至下一个秋天。松果需要经历漫长的岁月才会形成卵和精核，千辛万苦地完成受精。

因此，松树从得到花粉到受精结束起码需要一年的时间。但你知道被子植物的受精速度有多快吗？要如何形容从裸子植物到被子植物的戏剧性进化呢……打个比方，江户时代，人们从江户到东京需要沿东海道步行三十天，但如今东京和京都之间建成了新干线，车程仅需两小时。

种子的生产时间从漫长的几年几月缩短为几小时到几天，意味着世代更新变得如此之快，也代表着进化速度的飞速提升。就这样，被子植物发生了史无前例的快速进化。据说这种进化发生于侏罗纪至白垩纪晚期。白垩纪正是恐龙时代的末期，当时霸王龙等快速进化的恐龙非常活跃。

美丽花朵的诞生

在恐龙主宰的中生代侏罗纪，裸子植物非常繁盛。裸子植物不会盛开美丽的花朵，所以侏罗纪的森林里根本没有我们人类想象中那种色彩缤纷的花朵。

植物开花的目的是吸引昆虫授粉，但因为裸子植物是通过风力传粉，所以无须用花瓣装饰。依靠风力将花粉从雄花传播到雌花的准确率其实很低，所以与其花费多余的工夫制造花瓣，不如多生产哪怕一点点的花粉呢。这就是为什么裸子植物通常会大量地生产花粉。

即便在现代，杉树、扁柏等裸子植物依然会散布大量花粉，这会导致人们患上花粉症，因为裸子植物是风媒植物。从裸子植物进化而来的被子植物最初也是风媒植物，但几乎在发育子房的同时，变成了以昆虫为媒介传播花粉的虫媒植物。

当然，昆虫飞到花朵上可不是单纯出于好心地给植物当搬运工，而是为了食用花粉。所以，昆虫对植物来说本是害虫。被子植物为了捕捉花粉会伸长雌蕊。当昆虫来进食花粉时，身上就会附着花粉，而这些花粉在昆虫飞往另一朵花时就可能会附着到其他花朵的雌蕊上。于是，被子植物通过昆虫实现了花粉传播。

因为昆虫会从一朵花飞往另一朵花，所以如果可以让昆虫搬运花粉，那么花粉传播就会十分高效。即便花粉被昆虫吃掉了一些，那也比将希望寄托于“吹无定向”的风更加靠谱。因此，就算需要把部分花粉作为给昆虫的报酬，花朵需要生产的花粉量也能减少许多。

于是，花朵将节约下来的能量用于打扮花瓣，从而吸引更多的昆虫。当花朵准备好甜甜的花蜜、芬芳的花香等以后，我们熟悉的美丽花朵就诞生啦。正因为具有子房的被子植物成功提升了世代更新的速度，花朵才实现了如此革命性的进化。

昆虫也实现了进化

昆虫从植物那里获得花蜜和花粉，然后帮助植物搬运花粉。在这种相亲相爱的共存关系发展过程中，人们认为是金龟子开创了先河，它相当于植物的初恋。但是初恋终归是青涩笨拙的，有些“恋爱脑”，这一点在植物的进化中也一样。即便是在现在，金龟子也绝对不是一种灵巧的昆虫，会扑通一下落在花朵上，令人觉得它是摔了下来，然后在花朵里面跑来跑去进食花粉。植物和昆虫的共存关系就是这么开始的。

而后随着花朵的进化，蝴蝶和蜜蜂等在花朵间流连的昆虫也发生了变化。提起蝴蝶和蜜蜂，人类可能更喜欢蝴蝶，可是蝴蝶对植物而言却绝非良配。蝴蝶用长长的腿站立在花朵上，然后用吸管一样的长嘴吸食花蜜，所以身体很难沾到花粉。对植物来说，蝴蝶就是个花蜜小偷，不会搬运花粉，只会吸走花蜜。

蜜蜂则是植物的最佳拍档。蜜蜂是“劳动人民”，像它这样的社会性昆虫由于要养活家人，所以总是忙忙碌碌地在花朵之间飞来飞去，也因此实现了花粉传播。而且蜜蜂很聪明，能识别花朵的颜色和形状，然后在同种类的花朵之间飞来飞去。这对植物来说非常方便，因为即便昆虫流连于花朵之间，可如果花朵的种类不同则无法完成授粉。但蜜蜂总是飞往同一种类的花，所以十分高效地完成了授粉。

因此，植物拼命地想要吸引蜜蜂，把花朵装饰得越来越漂亮，并准备好满满的花蜜，引诱蜜蜂前来。但这也存在问题。植物为了蜜蜂拼命地准备花蜜，与此同时也引来了其他昆虫。各种各样的昆虫纷至沓来，植物该怎么做才能拒绝其他昆虫，只把花蜜给蜜蜂呢？如果你是植物的花朵，你会怎么做？

复杂的花形

高中和大学会通过各种宣传来招募学生，但并不是所有人都能入学，因为学校会举办考试来招到满意的学生。植物也是一样。

植物为了筛选出蜜蜂而对昆虫进行测试。如前文所述，蜜蜂非常聪明，所以植物把花蜜藏在花朵深处，并将花朵的形态设计得很复杂，从而让其他昆虫找不到花蜜。此外，花瓣上还会呈现“蜜标”，即指示花蜜所在位置的花纹。只有解开蜜标之谜并看懂复杂花形的聪明昆虫才能够抵达花蜜所在。另外，蜜蜂可以深入狭窄的花朵并倒退离开，其他昆虫则很难倒退出来。

究竟是因为蜜蜂很擅长后退，所以花朵进化为狭窄的形态，还是因为花朵进化为狭窄的形态，所以蜜蜂进化为擅长后退？我们无从得知两者的因果关系，恐怕是双方互相进化吧！因为花朵希望只向蜜蜂提供花蜜，而蜜蜂希望从花朵吸取花蜜。在此过程中，两者双双实现了进化。花朵演变为只有蜜蜂容易深入的形态，而蜜蜂演变为容易潜入花朵的形态。

这就是为什么蜜蜂只选择为同种类的花搬运花粉。蜜蜂不是做慈善，不会特地为了植物去选择同样的花。只是它们既然已经解开了谜题，千辛万苦地进入复杂的花形中得到了花蜜，那自然不想再费劲地“从头再来”。蜜蜂已经通过了植物的测试，好比参加了一场入学考试，而考题每年都一样，所以蜜蜂对其他花朵视若无睹，径直飞往同种类的花。

花朵和蜜蜂之间虽说是“共存关系”，但大自然里的各种生物并不会互帮互助。花也好，蜂也罢，全都是利己主义者，只为了自己的利益而拼搏。可是“自私”的生物却构建了这样的共存关系，互相之间无损利益，各有所得。在人类看来，这就是互帮互助。

大自然的所作所为，真的很厉害呀。

果实的诞生

被子植物成功地加快了世代更新并提升了进化速度，但它们的成果可不只有“花朵”而已，在革命性的进化中，植物还产生了“果实”。

裸子植物和被子植物的区别在于种子的前身“胚珠”是否裸露在外。裸子植物的胚珠裸露在外，而被子植物则用子房将重要的胚珠包裹起来予以保护。在子房的保护下，胚珠变得更耐干燥，而且子房还能让重要的种子免受害虫及动物的侵扰。

不过，一旦子房被哺乳动物吃掉，种子就会在哺乳动物排泄时被排出体外，从而发生迁移。于是植物又发明了一种新方法，那就是通过生产果实来散布种子。如果哺乳动物和鸟类吃了植物的果实，那么种子会连同果实一起进入它们的肚子。而后哺乳动物和鸟类迁移，种子便会通过哺乳动物和鸟类的消化道随粪便一起被排出体外，于是就成功地去了另一个地方。

因此，被子植物用来保护胚珠的子房发生进化，结出了果实。植物为动物提供食物，动物则为植物搬运种子。就这样，果实作为纽带在动物和植物之间构建了共存关系。

鸟类的进化

据说最先吃掉果实、实现种子搬运的是哺乳动物，其实它们原本是以昆虫为食的，但是后来又出现了食用果实的类群。

被子植物的诞生促进了植物的多样化，并在一定程度上导致鸟类在白垩纪后期有所进化。由于花朵的进化，出现了以花蜜为食并搬运花粉的鸟类，这些鸟类为了迎合花朵的形态而发生了进化。随后，各种昆虫也为了食用多样化的植物而进化。植物结出了各种各样的果实。就这样，食物的多样化导致鸟类也变得多样化。

如今，鸟类取代了哺乳动物，成为食用植物果实并搬运种子的主力军。哺乳动物因为牙齿锋利，所以在食用果实时很可能把种子也一并嚼碎；但因为鸟类没有牙齿，所以只是囫囵吞“子”。而且鸟类的消化道太短无法消化种子，种子便可以通过体内被安然排出。再者，鸟类翱翔于广阔的天空，移动距离比哺乳

动物更远，因此对植物而言是搬运种子的绝佳拍档。

植物为了能最高效地搬运种子而制作出了某种标记，那就是果实的颜色。果实成熟以后会变成红色，红色会令果实更加显眼。因为种子如果在成熟之前就被吃掉的话会很麻烦，所以未成熟的果实和叶子一样呈绿色，不会很显眼，而且还带有苦味以免被吃掉。红色代表着“希望你吃我”，绿色代表着“希望你不要吃我”，这是植物和鸟类之间交流的信号。

以果实为食的哺乳动物

也有些哺乳类动物以果实为食，与植物构建了共存关系，那就是我们人类的祖先猿类等灵长目动物。

植物的果实变红是一种信号，代表着它已经成熟，但哺乳动物看不到红色。在恐龙阔步的时代，哺乳动物的祖先避开恐龙的视线，过着夜行的生活。在沉沉的夜色中，红色是最难辨别的颜色，所以习惯夜行的哺乳动物基本丧失了识别红色的能力。可是有一种哺乳动物能看到红色，那就是猿类等灵长目动物，它们不是红色色盲。我们人类的祖先是唯一恢复了红色识别能力的哺乳动物。

虽然我们不清楚灵长类能辨别红色是因为要吃果实，所以能够识别成熟果实的颜色，还是因为能看见红色所以才以果实为食，但灵长类确实和鸟类一样，都能识别成熟的红色果实，并以果实为食。

虽然鸟类对植物来说是最佳拍档，但纵横长空的鸟类因为身体很轻，所以无法搬运大型种子，而猿类则会食用大量的大型种子。众所周知，榴莲的种子很大，而它就是通过类人猿传播的。

而且，植物把灵长类当作拍档还有其他好处。比如猿类会把果实放在颊囊中，一边吃一边吐种子。比起通过粪便排出，这种方式可以让种子散布到更多的地方。

导管的进化

被子植物还有一个结构叫“导管”。

蕨类植物和裸子植物通过一种叫“假导管”的结构运输水分。水分会经由细胞之间的小洞按序从细胞运往另一个细胞，就像水桶接力一样。假导管是蕨类植物进化后产生的系统，虽然运水效率并不高，但在当时，它作为一种专门的运水器官，将根部吸收的水分运往植物体，非常具有划时代意义。不过，因为假导管的细胞和茎部一样承担着支撑身体的作用，所以细胞壁很厚，水分通过的孔洞也较小。

反观被子植物，细胞间的细胞壁完全消失后形成空洞，从而形成导管，可以像水管一样运输水分，甚至分化了支撑身体和水分运输的机能，让运水的空间变得更为宽敞。因此，被子植物利用专门运水的空洞大量运输根部吸收的水分。

虽然蕨类植物和裸子植物的导管是“假”导管，但并不妨碍运输水分。因为有了假导管，裸子植物可以慢悠悠地生长为巨型植物。但时代变了，如今追求的是速度至上。为了适应环境变化，被子植物必须加快世代更新的速度，需要快速成长并尽可能地快速开花。高效运水的导管显然非常有利。

课本上将被子植物和裸子植物的区别列举如下：被子植物“胚珠被子房保护，不裸露在外”“具有导管”等。老师让我们死记硬背这些特征，但它们对于植物的进化来说的确具有非常重大的意义。

可是，裸子植物进化为被子植物的过程其实非常具有戏剧色彩。虽然我们都知道裸子植物和被子植物的区别很大，但并不清楚裸子植物究竟是如何进化为被子植物的。19世纪的进化学家达尔文将被子植物起源的问题称为“讨厌之谜”，而这个讨厌之谜至今依然未被解开。

先有树还是先有草

在进化的过程中，参天大“树”和路边小“草”，究竟谁是更先进的形态呢？大家可能会觉得具有树干、枝叶繁茂的大树是进化后更加复杂的结构，其实更先进的是草。

当类似苔藓的小型植物进化为蕨类植物时，利用坚固的茎部和一种名为假导管的输水系统长成了巨大的树木。之后，植物历经蕨类植物、裸子植物、被子植物的进化历程后长成了广阔的森林。然后，树进化成草，据说草诞生于白垩纪末期。

我们会在恐龙电影中看到巨大的植物形成了森林——嗯，那个时代的植物都很巨大。在恐龙活跃的时期，由于气温和光合作用必需的二氧化碳浓度都很高，所以植物都生长得很旺盛，变得非常高大。于是为了吃到高大树木的叶子，恐龙也长得越来越庞大，而为了不被恐龙吃掉，植物又变得更加巨大。再后来，恐龙为了吃到这些长得更加高大的植物，也进化得更庞大，甚至连脖子都变长了。于是，在植物和恐龙的相互竞争下，它们都变得更加巨大。

但在白垩纪末期，地球仅有的一个大陆板块因为地幔对流开始分裂和移动。分裂的大陆板块又相互冲撞，导致歪斜和隆起，形成了山脉。而撞击山脉的风变成了云，又形成降雨。就这样，地壳运动导致气候变得不稳定。

降到山上的雨形成河流，河流在下游冲积形成三角洲。人们认为草就诞生于三角洲地区。三角洲的环境很不稳定，不知道什么时候会突降大雨、暴发洪水。植物在那种环境下没有多少时间能慢慢长成大树，因此就进化出了短时间内长大、开花并留下种子进行世代繁衍的“草”。随后，草为了适应瞬息万变的环境而进行了“爆改”。就像陆地上的哺乳动物再次回到海里变成鲸鱼一样，某些植物也为了适应环境再次从草变回树。在昆虫较少的环境下，有些花再次从虫媒花变回了靠风力传播花粉的风媒花。就这样，地球上各处的各种植物完成了进化。

短命进化

植物从树进化成草，这着实很不可思议。

变成树的木本植物可以活数十年、上百年，比如屋久岛的绳文杉，树龄甚至有几千年。可草本植物的寿命却大都在一年以内，至多也不过几年。是不是很有意思？能活几千年的植物却进化成了短命鬼。我想所有生物都不想死，都想活得久一些。如果能活一千年，那么谁都想千年不死吧？但为什么植物在进化中却选择了缩短生命呢？

我们都知道跑完长距离马拉松非常困难，如果途中再加上一些障碍呢？完成42.195千米的目标绝不简单。但如果是100米短跑呢？我们全程都可以全力冲刺！就算有些许障碍，应该也能全力跨越。在一档电视节目中，马拉松选手和小学生比赛，小学生这一方每100米就换人接力，最后连马拉松选手也敌不过小学生全力冲刺的接力式跑步。

植物也一样。活到千年很难，如果中途遇到障碍则更可能枯萎。反之，存活一年便终其天年的可能性反而更高吧？所以植物选择了另一种生存方式，即缩短寿命。它们会像跑100米就交接接力棒一样不断进行世代交替，并且可以在更迭中加快进化，从而适应环境与时代的变化。

创造死亡

佛教认为衰老与死亡皆是苦。所有生物都不想死，但依然会衰老并最终迎来死亡，这是世间万物无法逆转的宿命。但是，明明万物都应该“向生”，可偏偏有些生物在进化过程中主动“向死”。

就像汽车和电器会老化一样，我们人类体内的器官也必然会随着年龄的增长而老化坏掉。但是仔细想想，我们的身体细胞其实常常更新迭代，比如皮肤的旧细胞会变为污垢，然后产生新细胞。即便是百岁老人的身体每天也都在重生改变，所以理论上来说，拥有婴儿般的肌肤也不奇怪。可事实是人类的肌肤确实无法一直像婴儿的一样，我们的的确确在衰老。这是因为人类的身体自行设定了逐渐衰老的机制，身体细胞被设定为自行死去。为了使体内细胞保持在一定数量，细胞分裂一定次数后就会死亡，这种细胞死亡被称为“细胞凋亡”，也叫“被设定的死亡”。

“死亡”是地球生命的发明。

所谓死亡

细菌和变形虫等原始的原核生物以细胞分裂的方式繁殖，但繁殖的细胞和原来的细胞相同。原核生物无限重复该过程，即便年龄增长，细胞也不会衰老。因为细胞即便增加也不会死亡，所以可以说原核生物永远不会死去。由此可见，并不是所有生物都必须死亡。

可是，即便同为单细胞生物，草履虫等真核生物就完全不同。草履虫的分裂次数是有限的，大约分裂700次后就会耗尽寿命死去。可是，如果它在死亡前与其他草履虫结合并交换遗传基因，就会生成新的草履虫。于是，分裂次数被按下重启键，又可以重新分裂700次。因为重生的草履虫和原本的草履虫属于不同的个体，所以重生的草履虫可以被视为下一代，而原本的草履虫则已经死去。就这样，真核生物创造了“死亡”和“再生”。

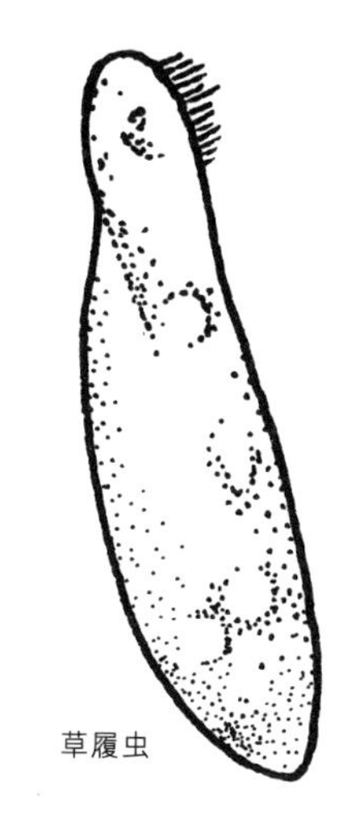

草履虫

有句话叫“有形者不知何时会灭亡”，如其所说，世间万物无一能永生。如果活了几千年，也会产生各种问题吧？所以，生物通过牺牲自己并产生新生命的方式来延续生命，即在一定期限内死去，由新的生命取而代之。

而且，为了适应时代变化也必须改变自己。比起繁殖原本的个体，除旧革新的进化方式对生物来说更好。于是，生命创造出了一种新的方式——死亡与再生的循环，即通过世代繁衍进行生命接力，通过不断地变化来保持永恒。

生命通过死亡实现永生，同时为了在有限的时间内活出充分的价值而全力冲刺。为了保持灿烂，生命需要在有限的时光里找到价值。

被逼入绝境的恐龙

被子植物通过加快世代更新实现了革命性的进化，并将恐龙逼入绝境。如前文所述，人们认为恐龙灭绝的直接原因是陨石撞击导致的全球气候变动。其实在此之前，以植物为食的草食恐龙便因为跟不上被子植物的进化速度，逐渐丧失了生存地，已经被逼入绝境。

当然，恐龙也并不是完全没有进化。比如孩子们很喜欢的三角龙就变成了以开花的被子植物为食的恐龙。一直以来，草食恐龙在与裸子植物的巨大化竞争中为了能吃到高大树木的叶子而拉长了脖子。但三角龙不一样，三角龙腿短又矮，而且像草食动物牛及犀牛一样头往下低，这些特征都是为了能吃到地面生长的小草小花。

不过被子植物的进化速度的确超过了恐龙的进化速度，连三角龙都追不上。总之，被子植物在短短的循环中尝试了各种各样的方式。例如为了不被吃掉，被子植物想了很多办法，其中包括携带一种叫生物碱的有毒成分。一种假说认为，恐龙或许是因为无法消化这种物质所以中毒死亡。实际上，白垩纪末期的恐龙化石显示器官异常肥大、蛋壳变薄等严重的生理中毒表现。对了，科幻电影《侏罗纪公园》上演了人类在现代将恐龙复活的故事，其中就有三角龙因食用有毒植物而中毒倒下的场景。

加拿大阿尔伯塔省的德兰赫勒市出土了很多恐龙时代末期的化石。该地域7500万年前的地层中有三角龙等8种角龙，1000万年后减少至仅剩1种，而在此期间哺乳类化石从10种增加到了20种。

的确，恐龙灭绝的直接原因可能是陨石撞击，但由于被子植物的革命性进化，无法应对的恐龙已经开始走上衰退之路。

新的未必是好的

据说当进化的被子植物扩大其分布范围时，末期的恐龙和被驱逐的裸子植物生活到了一处。当温暖的地域被被子植物抢走以后，裸子植物去往了寒冷的土地。虽然不敌被子植物，但它们在北方获得了能安稳栖身的一席之地。

裸子植物之所以能在北方安家，是因为它的结构相对落后。被子植物的导管更加先进，运水非常高效，但这种新式系统也有缺点，那就是扛不住冰冻。具有导管的植物是这样吸水的：导管里的水连接后形成水柱，当叶子表面因蒸腾作用丢失水分后就吸上来相应的水分补足。因此，一旦导管中的水柱断开，那水就无法被吸上来。如果导管中的水冻结，那么冰融化时产生的气泡就会导致水柱产生空洞，于是水柱不再连接，也就无法把水吸上来，这对植物来说是致命的。

裸子植物则不同，它利用假导管运水，通过假导管在细胞间的小洞按序将水从一个细胞运到另一个细胞。这种方法的运水效率与让水流直接通过的导管相比要低得多，实在是个陈旧的系统。但因为能切实地把水从细胞运到另一个细胞，所以不太会发生像导管那样无法吸水的事情。因此，裸子植物即便在冰冻之地也能把水分吸上来，从而得以幸存，这成了它的一大优越性。如今，针叶树林（隶属于裸子植物）依然分布于高纬度的寒冷地带，比如西伯利亚和加拿大北方地区的泰加森林、北海道的库页冷杉林和鱼鳞云杉林，它们都是受被子植物“迫害”的裸子植物的后裔。

为什么神树大多是杉树

日本有些树木被称为巨树，大多都是杉树，很多杉树的高度超过50米。美国加利福尼亚州的北美红杉被认为是全世界最高的树，高约112米。杉树和北美红杉都属于裸子植物。实际上，很多高大的树木都是裸子植物。

说起来，我们人类需要仰视的高大树木究竟是如何将水吸到那么高的位置的呢？植物把水吸到高处的动力来源于蒸腾作用。植物叶子背面分布着很多让空气进出的气孔，植物体内的水分通过这些气孔变成水蒸气并向外蒸发，这就是蒸腾作用。在植物体内，从气孔到根部的水分连接形成水柱，因此当水分由于蒸腾作用流失后，就会吸上来相应的水分补足，就像用吸管把水吸上来一样。被子植物在导管进化以后才做到这一点。

被子植物的导管如果能够通水，那么树越高，水柱就越容易断开。导管可以利用水的凝聚力将水吸上来，但一旦水连接形成的水柱被切断，那就无法继续将水吸上来。

但裸子植物不同。裸子植物是进化史中相对古老的植物，它没有导管，而是通过假导管这种古老系统吸水，在细胞间运输水分。假导管的运水效率非常低，但确实能够运水，可以将水运往高处，所以很多裸子植物都长得很高。

并不是古老就不好，古老的植物也有新植物不具备的优点。

植物的进化

本章的最后，让我们从植物的进化历程来回顾一下植物的分类吧。

38亿年前，地球上诞生了生命，从那时起，生命一直在大海中进化。虽然植物登陆的时代并不明确，但可以推测大约是4亿7千万年前的古生代奥陶纪。

首先，陆地上生长的植物分为苔藓植物和维管束植物——维管束植物并非从苔藓植物进化而来。其实它们各自实现了进化，而维管束植物的系统更为新式，因为具有维管束，所以能高效地实现水分运输，进入干燥地带后体形也变得更加巨大。

其次，维管束植物包括蕨类植物和种子植物，前者通过孢子繁殖，后者通过种子繁殖。蕨类植物在4亿年前的古生代泥盆纪非常繁盛，并形成了高度超过20米的巨型森林。到了泥盆纪末期，繁荣的蕨类植物进化为裸子植物，并形成高大的森林，这一时期被称为石炭纪。巨大的裸子植物被埋入地底成为化石，即煤炭。

到了中生代，在裸子植物繁荣生长的同时，很多恐龙也变得活跃。裸子植物最兴盛的时期是中生代侏罗纪。后来到了中生代的白垩纪，开始出现能开花结果的被子植物，也就是如今最繁荣的植物。

第三章小结　花儿为谁而开

植物开花并不是理所当然的。开花结果对植物来说具有划时代的意义，甚至连强大的恐龙也因为难以适应被子植物的革命性进化而灭绝。之后，部分昆虫、哺乳类及鸟类因为和被子植物的花朵与果实构建了共存关系而繁衍生息。

花朵和果实对于植物来说实际上是战略性的发明。为了容易被昆虫发现，花朵用美丽的花瓣来彰显自己，并为昆虫准备了香甜的花蜜。花朵吸引昆虫的行为对被子植物和昆虫来说是互惠互利。为了容易被鸟类发现，果实的颜色非常鲜艳，果肉也很甜蜜。鸟类被果实吸引的行为对被子植物和鸟类来说也是互惠互利。

人类看到果实时会觉得非常美味，这种反应很合理。因为人类的祖先是以果实为食的灵长目动物，所以当人类看到红色时便会刺激食欲。许多汉堡店、日式牛肉饭店、拉面店都用的是红色系，正是因为“红色”是植物果实的标志性颜色。

但是，人类会被植物的花朵吸引。花朵吸引人类，却不会对自身产生任何利益。同理对于人类而言，花朵也应该不具有意义，毕竟它没法成为食物。

为什么人类会觉得花朵很漂亮呢？生物学和进化学都无法解释这一点。可人类就是觉得花很美丽，看到美丽的花就会感到治愈。动物不喜欢对生存无用的花朵，但人类却是一种爱花的动物。明明和生存毫无关系却觉得美丽并且喜爱，我们也可以这样形容人类与音乐、绘画的关系。感知花朵的美丽也是人类的文化之一。有人认为学会用火和使用工具是人类区别于其他动物的重要特征，但也可以说爱花这件事才使人类真正成为人类。

Chapter 04

植物就是“砧板上的鱼肉”？——弱小又强大的植物之防御策略

植物在食物链中被称为“生产者”，它们利用阳光进行光合作用，生产出生存必需的养分，并利用土壤中的水分和养分制造出各种各样的营养素。与之相对，动物则被称为“消费者”，因为动物无法自己制造养分，靠获取植物制造的养分生存。

草食动物通过以植物为食直接摄取植物制造的养分，被称为“一级消费者”；肉食动物通过以草食动物为食间接摄取植物制造的养分，被称为“二级消费者”。即动物（消费者）靠消费植物（生产者）所生产的养分存活。

植物作为生产者被消费者动物吃掉，所以植物就是弱者吗?

植物位于食物链底部

自然界的法则是“弱肉强食”，即强者吃掉弱者，这种吃与被吃的关系构成了食物链。例如在非洲的热带草原上，肉食动物狮子吃斑马，草食动物斑马吃草原上的草。

其实食物链并不简单，它也可以很复杂。譬如老鹰吃蛇，蛇吃青蛙，青蛙吃螳螂，螳螂吃蚂蚱，蚂蚱吃草叶。水中的生态系统也一样，大鱼吃小鱼，小鱼吃水蚤等浮游动物，浮游动物又吃浮游植物。自然界就通过这种吃与被吃的关系相互连接。

这种关系的源头是植物，因为食物链从草食动物吃植物开始，即植物位于食物链的底部。但是，植物在自然界真的是最弱的生物吗？

我们用食物链的金字塔来表示吃和被吃的关系。植物位于金字塔底部，往上是草食动物、肉食动物、吃肉食动物的动物，金字塔层层累积。

但是仔细观察会发现金字塔越往上就越窄，可以生存的生物数量取决于食物的数量。底层的植物越多，草食动物的存活数也越多；如果草食动物的数量增加，那么吃草食动物的肉食动物也会增多。反之，如果植物减少，那么草食动物也会减少，肉食动物更是如此。

那些位于金字塔上层的生物被称为强者，它们的生存却依赖着位于金字塔下层的生物。植物即便没有动物也可以生存，但动物如果没有植物，那将会是灭顶之灾。金字塔越往上，生存危机就越大。因为无论多强的动物，一旦失去食物就无法生存。

那么被称为强者的虎和鹫呢？失去食物后，许多位于金字塔顶层的强者生物数量减少，甚至濒临灭绝，而金字塔底部、作为食物来源的植物反而有可能是最强的。

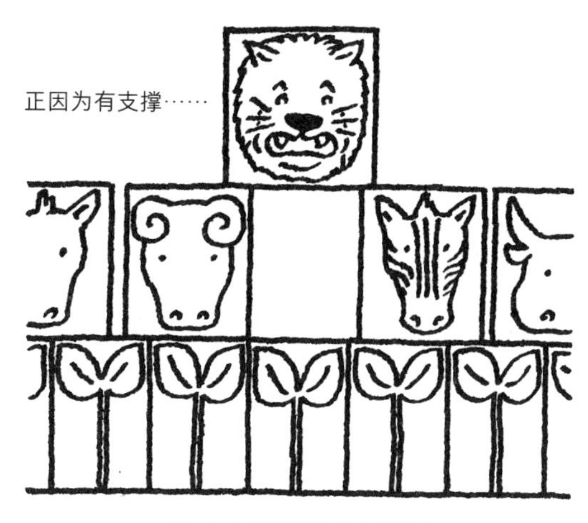

图4-1 金字塔食物链（局部）

植物为了防止被吃有多拼

话虽如此，但植物到底是被吃的一方。即便逞强说植物支撑着金字塔所以更强，但在吃和被吃的关系中，植物仍然是被吃掉的那一方。那么，植物应该如何在草食动物的嘴下保护自己呢?

其中一种方法是携毒。正如前面所说，被子植物具有各种各样的有毒成分，这被认为是导致恐龙衰退的原因之一。不过，哺乳动物具有应对植物有毒成分的能力。为了避免因摄入有毒成分而导致死亡，它们必须尽早认识什么是毒。这种能力就是味觉。

我们人类也是哺乳动物。如果摄入植物的有毒成分，我们的舌头会有所感知，感受到辣味和苦味，于是我们就可以吐出来，避免摄入毒素。味觉的发达绝非为了品尝美味，而是为了瞬间判断食物的危险程度，比如对身体安全且营养价值高的东西有甜味和美味，对身体有危害的东西会有苦味和辣味，腐烂的东西有酸味。虽然不知道其他动物的味觉如何，但应该也大致相同，会觉得对身体好的东西好吃，对身体有害的东西尝起来怪怪的。

其实，动物获得味觉对植物而言也是件好事。植物好不容易通过毒性保护自己，如果体形大的动物对此毫不在意，一直吃下去，那会如何？譬如植物的天敌哺乳动物就算最后丧了命，但在此之前，它们会吃掉很多叶子，这对植物来说也损失不小。

其实植物的本意并非想要杀死动物，于它们而言最理想的结果就是被吃进嘴里，动物判断不能吃，于是放弃吃下去。或许，在动物的识毒能力进化的同时，植物也为了能让动物更好地识别而有所进化。

草食动物解毒能力的进步

虽然识别植物的有毒成分很重要，但如果所有植物都开始带毒，那就意味着动物没有了食物。因此，动物采用某些方法将植物的有毒成分做无毒处理，从而让那些植物变得可以食用。

猫和狗大量食用巧克力就会中毒而亡，这是因为可可豆中含有一种名为可可碱的生物碱，对于猫和狗来说是无法分解的有毒物质。但巧克力有毒这种说法对人类来说简直是无稽之谈，明明是美味的甜品啊。这是因为可可碱虽然有毒，但人体可以代谢，令其无毒化。人类也知道可可碱是有毒成分，因为巧克力入口略苦，但还是觉得很好吃，只是略带苦味而已。

再比如人们经常食用的洋葱和葱对于猫和狗来说也有毒。洋葱和葱具有烯丙基丙基二硫醚，对动物而言是有毒成分，而人类因为拥有解除毒性的方法，所以即便食用也无碍。但狗和猫不同，它们原本就是肉食动物，未曾在野外吃过植物，所以对于植物毒性的感觉和防御系统并不发达，毫无防备。

同样是巧克力和洋葱，人类喜食，对狗和猫来说却致命，这件事也证明了人类在对抗植物毒性的方面实现了一定的进化。

草食动物的进化

专门吃植物的草食动物的消化系统比人类的更加发达。

例如兔子，据说一种叫阿托品的麻醉术前药对兔子无效，而阿托品是茄科植物所具有的一种生物碱。可见草食动物兔子在提升对植物毒性的防御能力的同时，拥有了能分解生物碱的酵素。动物在食物丰富的情况下没有必要吃毒草，但如果食物有限，那么即便是毒草，像兔子那样的小型草食动物也没得挑，只能吃下去。因此，兔子为了能够分解生物碱而进行了进化。不过对兔子来说，吃毒草也有一个好处，那就是不必和大型草食动物争夺食物。

生活在澳大利亚的考拉只吃桉树的叶子，但桉树是有毒植物，所以这意味着考拉只以毒草为食。不过考拉拥有哺乳动物中最长的盲肠（长达两米），盲肠内的细菌可以分解桉树的毒性。

草食动物也并不是没有对付植物毒性的对策。

喜欢苦味的奇怪动物

植物通过体内生成的各种各样的物质保护自己，而动物通过苦和辣的味道来识别这些物质，从而避免误食，这是植物和动物制定的规则。但是，竟然有动物喜欢有毒的苦味和辣味！哈，就是我们人类。

比如我们常吃的青椒和苦瓜其实是还未成熟的果实。它们为了在未成熟时不被吃掉，所以呈绿色，就像叶子一般，同时还带有苦味物质。成熟以后，青椒会变红，苦瓜也会变成黄色，然后拜托鸟类为它们传播种子。但人类这种动物竟然觉得苦的也好吃，所以未成熟的青椒和苦瓜也成了我们的食物，这可愁坏了植物。

不过，孩子们大多讨厌青椒和苦瓜，因为孩子喜欢甜甜的东西。在这个遍地都是糖果和甜味剂的时代，甜的东西虽然让人觉得不健康，但甜味其实就是成熟果实的味道。大自然中并没有因为是甜的所以对身体不好的东西。正因如此，孩子喜欢甜的，讨厌苦的，其实是动物的正常味觉。

青椒和苦瓜为了避免被吃掉所以含有苦味物质，于是，孩子们就不想吃苦味的苦瓜和辛辣微苦的青椒。青椒和苦瓜就达到了自己的目的。

为什么有毒植物很少

植物制毒的策略非常有效。那么，为什么不是所有植物都具有毒性呢？

第一，植物具有保护自己免受病原菌和害虫侵害的物质，这些物质大多由碳水化合物形成。而碳水化合物来自植物光合作用，所以植物只要一边长大一边进行光合作用，就可以无限量地生成碳水化合物。

第二，对抗动物很有效的有毒成分叫生物碱。生物碱的原料是氮化合物，氮由植物根部吸收，是非常有限的资源。它也是构成植物体蛋白质的原料，对植物的成长不可或缺。因此，如果植物想要生产生物碱等有毒成分，就必须削减成长所必需的氮。

虽然对于植物来说，避免被动物吃掉很重要，但也不能只把精力放在这件事上，成长依然是最重要的。因为植物种类丰富，在生长茂盛的地方也并不会频繁被动物吃掉。所以比起费心守住一点点叶子，不如为了不输给其他植物而茂密生长、增加枝叶。

草原植物的进化

即便植物用毒保护自己，但因为动物也有了相应的解决方法，所以就算植物费时费力地制毒也收效甚微。那么，植物该如何是好呢?

对植物而言，最有可能被动物吃掉的地方是草原。如果是深山老林，那么因为草木茂密，不太可能所有植物都被吃光。但在视野良好的草原，植物毫无藏身之地，甚至生长的数量也十分有限。草食动物争夺着为数不多的植物。

草原上的植物该如何保护自己?

在草原上，有一种植物完成了显著的进化，那就是禾本科植物。禾本科植物的叶子进化得非常坚硬，导致动物难以下咽。它的秘诀在于硅元素，硅是一种坚固的物质，同时也是制作玻璃的原材料，禾本科植物利用硅元素让叶子变得坚硬、很难食用。我想应该有人曾经被原野上芒草的叶子划伤过手指吧？芒草叶子边缘分布着锯齿般的玻璃质，实在难以下嘴。

不仅如此，禾本科植物的叶子还含有很多纤维质，难以消化。禾本科植物就这样通过避免叶子被吃掉来保护自己。

约600万年前起，禾本科植物开始在体内积蓄玻璃质，这对动物来说是一个大事件。禾本科植物的进化导致很多草食动物丧失食物，因而灭绝。

降低生长点保护自己

禾本科植物还具有与其他植物非常不同的特征。

普通植物的生长点位于茎部前端，在植物累积新细胞的同时不断向上生长。但在成长过程中，一旦茎部的前端被吃掉，那么重要的生长点就会被一起吃掉。因此，禾本科植物尽可能地降低了生长点。当然，禾本科植物的生长点也位于茎部前端，但它选择不再伸长茎部，而是将生长点保持在较低的位置，再从那里不断生长叶子。这样的话不论被吃多少，被吃掉的也只是叶子前端而已，不会伤及生长点。这可谓是一种完全反方向的生长方法。

可是，这种生长方法也存在很严重的问题。如果叶子不断向上生长，那么植物可以一边进行细胞分裂一边自由地增加枝丫，让叶子茂密地生长。但如果叶子在底部堆积着生长，那就会导致之后无法再增加叶子的数量。

因此，禾本科植物选择不断增加生长点的数量，这种方法称为“分蘖”。禾本科植物的茎部普遍不高，在缓慢伸长茎部的同时，也在地面长出枝丫。而后，再伸展出新枝丫，地面上的生长点便不断增加，也生长出了更多的叶子。因此，禾本科植物的底部总是会有很多枝叶。

没有营养的植物

禾本科植物的苦心可不仅如此。大米、小麦、玉米等禾本科植物对人类来说是重要的粮食，但人类食用的其实是它们的种子，因为禾本科植物的叶子很坚硬。

人类会用火，如果只是因为坚硬这一点，那么只要烹饪或者加工应该就能食用。但实际上，禾本科植物的叶子不仅坚硬到难以入口，就算费尽工夫吃了，也几乎没有营养，所以没必要吃。为了不被吃掉，禾本科植物把叶子变得毫无营养。可是，植物理应进行光合作用制成养分，那么禾本科植物把制成的养分储存在了哪里呢?

禾本科植物的做法是将养分储存在地面附近的茎部。地面上的叶子则将蛋白质含量减到最低、减少营养价值，从而变成毫无吸引力的食物。就这样，禾本科植物进化成了叶子坚硬、很难消化且营养稀少的植物，非常不适合食用。

草食动物的反击

虽然禾本科植物的叶子很坚硬，但如果不吃就无法在草原上活下去，所以牛和马等草食动物发生了进化。例如，众所周知，牛有四个胃。这四个胃就是用来消化那些纤维质含量高、很坚硬同时营养价值又很低的叶子的。

其实这四个胃中只有第四个发挥着和人类的胃相同的作用。那么，其他三个胃又有什么作用呢?

第一个胃的容积很大，可以储存吃下去的草，同时也承担着发酵槽的作用，供体内微生物分解草并制成养分。就像人类将大豆发酵制成有营养的味噌和纳豆，或者将大米发酵酿成酒一样，牛也在胃里制造发酵食物。

第二个胃的作用是将食物推回食管进行反刍。所谓反刍，是指将胃里的消化物再一次返回嘴里咀嚼。当牛吃下饲料后会伸腿伏卧，然后闭上嘴咀嚼，于是食物就在胃和嘴之间来来回回，禾本科植物也得以被消化。

第三个胃的作用是调整食物的量，将食物送回到第一个胃和第二个胃，最后将食物传送到第四个胃。

最后，第四个胃分泌出胃液、消化食物。在食物到达第四个胃，也就是真正发挥胃部作用的胃之前，其他三个胃先对禾本科植物进行了处理，让叶子变得柔软，甚至利用微生物发酵制造出营养成分。

为什么草食动物都很庞大

除了牛，山羊、绵羊、鹿、长颈鹿等动物也是“反刍动物”，通过反刍来消化植物。马虽然是单胃动物，但它的盲肠十分发达，盲肠内的微生物可以分解植物的纤维素，从而自行生产养分。兔子的盲肠也很发达。

草食动物费尽心思地通过消化和吸收坚硬且几乎毫无营养价值的禾本科植物来获得营养。其中，牛和马只吃几乎没有营养的禾本科植物，它们的体形却很庞大，这是为什么?

草食动物中，牛和马等动物主要以禾本科植物为食。为了消化禾本科植物，它们必须拥有特别的内脏，比如四个胃和长长的盲肠，甚至为了从营养价值很低的禾本科植物中获取营养，必须吃下大量的禾本科植物，以量取胜。

所以，为了拥有发达的内脏，草食动物必须拥有庞大的身体。

单子叶植物的进化

我们在此介绍的禾本科植物是单子叶植物。单子叶植物由双子叶植物进化而来。如今，约四分之一的被子植物都是单子叶植物。但我们并不清楚单子叶植物是如何进化而来的。

就像它们的名字一样，双子叶植物有两片子叶，而单子叶植物只有一片。课本上写道，双子叶植物的茎部断面可见形成层，即由导管和韧皮部构成的环状形成层，单子叶植物则没有形成层。

表面看来，构造简单的单子叶植物更古老，发达的双子叶植物更先进，但实际上并非如此。其实，单子叶植物是更新的植物。

人们认为，单子叶植物由木兰和樟树等树木分化而来。如前一章所述，被子植物由树进化为草。实际上，一开始进化成草的植物是单子叶植物。不久以后，双子叶植物中也出现了进化为草的植物。单子叶植物的草本植物和双子叶植物的草本植物各自实现了进化。

如今，单子叶植物全都是草本植物。它们舍弃了不必要的部分，实现了作为草的独特进化。

单子叶植物和双子叶植物

单子叶植物在速度和功能性方面非常优越。就像奥运会的田径运动员和游泳运动员为了提升速度而减掉多余的赘肉，穿着最轻型的运动服，甚至连体毛都剃掉一样，单子叶植物也因为重视速度而舍弃了多余的部分。

单子叶植物只有一片子叶，其实是原有的两片子叶粘在一起形成了一片。而且单子叶植物没有形成层，因为要想拥有形成层那样结实的构造，必须让茎部变粗，让植物体变大。比如树木的年轮就是形成层，慢慢形成年轮会让植物变得很坚固，但与此同时，也需要花费不少时间。因此，单子叶植物由于重视速度而放弃了形成层。

在进化过程中，海豚为了适应水中生活而让四肢退化，鸟类为了让嘴部发达而让牙齿退化。单子叶植物作为草本植物，也为了实现快速成长而舍弃了形成层。

而且，单子叶植物的叶子从根部开始就茂盛生长，茎部却只在花期才会伸长。前文中提到的禾本科植物就是其典型代表，叶子从根部起便十分茂密，仅在开花时才会一口气伸展茎部。百合和郁金香等也是单子叶植物。虽然看上去它们的茎部一直都是伸长的状态，但一开始球根只长叶子。我们看到的百合和郁金香之所以茎部非常显眼，是因为它们恰好处于花期。

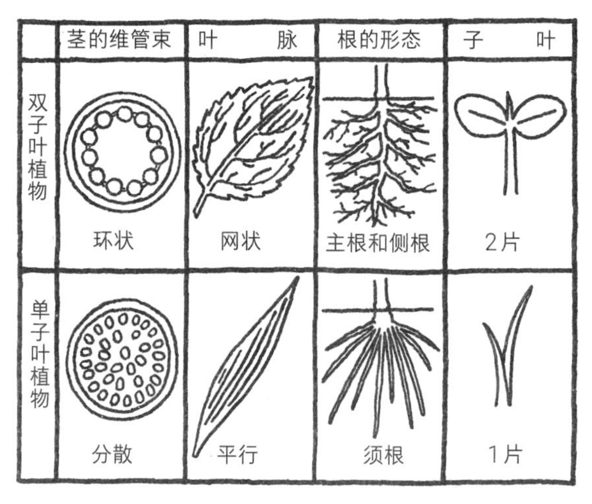

图4-2 双子叶植物与单子叶植物的区别

当然，双子叶植物中也有这种只长叶子，仅在开花时伸展茎部的植物，比如蒲公英。这种不伸展茎部、在地面构建低生长点的生长方式具有极佳的功能性。

单子叶植物为什么是"须根"

如第一章所述，植物体不断重复基本构造。尤其是通过重复分枝结构，植物可以长成更为复杂的形态，展开枝丫、让叶子茂密生长。这种构造可以充分利用空间，也可以将水分和养分从根部运送到枝叶的每个角落，功能性非常好。

但是对单子叶植物来说，比起花费时间慢慢生长，用速度取胜更为重要。拿烹饪来说，精致料理在这方面不如快餐，前者需要熟练的厨师慢慢准备并精心制作，而后者谁都能做并且立刻就能上菜。又譬如足球，比起把球传来传去再进行攻击，不如纵深射门，一击逆转局面……总之就是速度取胜。

因此，对单子叶植物来说，比起分枝形成的复杂构造，直线构造更好。双子叶植物叶子的叶脉通常呈分支状，这样进化是为了能将水运送到叶子的每个角落。但是急性子的单子叶植物可忍受不了如此缓慢的过程，因此单子叶植物叶子的叶脉是不分支的平行脉。

双子叶植物伸长茎部，扩展枝叶；单子叶植物则是不伸长茎部，逐渐长出叶子。根部也一样，双子叶植物伸展主根，然后自某处分出侧根；但是单子叶植物的根部不分枝，而是一根根伸展，被称为"须根"。

第二章介绍的松叶蕨没有根，由茎部承担根部的作用，在地下伸展的茎部变成了根。植物的根和茎其实十分相似。双子叶植物在地面上伸展主茎并分枝，因此其根部也一样，先伸展主根，再让侧根分枝。单子叶植物则不伸展茎部，而是分蘖；根部也同样不伸展主根，而是变成须根。单子叶植物在地上和地下的形态完全一样，宛如照镜子一般。

但需要注意的是，有些双子叶植物也像单子叶植物一样，进化为不伸展茎部的形态，比如蒲公英。蒲公英等植物在地面上的部分和单子叶植物一样，但因为它本身是双子叶植物，所以地下的根部构造由主根和侧根组成。

最后我们再来复习一下。单子叶植物由双子叶植物分化并经过独特的进化形成，课本上对其特征的描述是：①仅有一片子叶；②无形成层；③叶脉为平行脉；④须根。以上区别都源于单子叶植物十分重视生长速度的特点。

化敌为友

我们在第三章中举过“共存关系”的例子，即植物与其他生物缔结互相帮助的关系。例如，植物开花引来蜜蜂和牛虻等昆虫，为昆虫提供花粉与花蜜，换来昆虫高效搬运花粉，从而完成授粉。植物也用甜甜的果实吸引鸟类，并以果实作为交换，换来鸟类帮助植物搬运种子。

对于一动不动的植物来说，有且仅有两次可以移动的机会：第一次是花粉，第二次是种子。植物为了最大限度地利用好这两次机会，让昆虫帮助搬运花粉，让鸟类帮忙搬运种子。但是，这样的共存关系并不是一开始就形成的。

植物开花始于白垩纪，当时恐龙还存在，昆虫飞到花上也并不是为了搬运花粉，而是以花粉为食。由于一直吃花粉，昆虫成为植物的敌人，但是在昆虫飞往其他花朵进食花粉的时候，偶然沾到身体上的花粉也会顺带被运送到其他花上，从而完成授粉。所以，植物为了利用昆虫，会为昆虫准备好甜甜的花蜜，巧妙地将可恶的昆虫变为朋友。

那果实呢？植物结果同样始于白垩纪。鸟儿接近植物可不是因为有帮忙搬运种子的热心肠，或许只是为了吃掉种子和包裹种子的子房。但植物成功地将鸟类变成了伙伴。

虽然植物是“被吃”的一方，却利用这一点取得了成功。

所谓人类

在漫长的进化史中，植物与各种各样的生物缔结了共存关系。那人类呢？

人类对植物进行了各种改良，甚至改变了植物的形态和性质，培育出蔬菜、水果、水稻、小麦等栽培作物。人们在卷心菜和莴苣开花前就将它们收获，在青椒和苦瓜尚未成熟时就把它们当成食物，这着实是无视自然界规则的行为！

那么，这些因为人类自私的欲望而被利用的栽培作物很悲惨吗？

植物召唤昆虫是为了交配并繁衍更优质的后代，而栽培作物的这项任务则由人类费时费力地完成了。植物结果是为了让鸟类搬运种子，而人类利用船和飞机将栽培作物运往各地，在全世界广泛栽种，并精心播种、浇水、施肥、除虫除草。对于栽培作物来说，人类为它们提供了空前的便利。

相比在大自然中苦苦求生并为了扩大分布范围而不断进化，为了满足人类的欲望而改变姿态和形态等对植物来说根本不算什么，不是吗？

表面上看是人类在利用植物，可实际被利用的可能是人类。

第四章小结　竞争下的共生

位于食物链底端的植物为了不被昆虫和动物吃掉而采用各种防御手段保护自己，但植物所做的其实不止于此。通过“被吃”，植物实现了花粉传播、种子搬运及扩大分布。换句话说，植物通过“被吃”取得了成功。

植物生存在讲求速度的严峻竞争环境中，既无规则也无道德可言。在植物的世界里，无论使用怎样的手段，幸存者为胜。人类社会的竞争根本无法与自然界的严峻竞争比拟。

植物竞争的结果就是找到了共生的方法，即和其他生物相互帮助，一起活下去。

为了维持相互帮助的共存关系，植物又做了些什么呢？植物为昆虫提供花粉和花蜜，为鸟类准备甜甜的果实。虽然这些并不是它们的本意，但它们将对方的利益置于自己的利益之前，选择先“给予”，由此构建了共存关系。

有句话叫“有付出，才有回报”。植物早在这句话被说出以前就已经达到了这个境界。

Chapter 05

对生物来说什么是“强大”？——弱小又强大的植物之错开战略

自然界的法则是“弱肉强食”“适者生存”。弱者被强者所食，然后弱者灭绝、强者生存，这是自然界的天命。

但我们观察周围会发现，其实也有很多生物看上去并不强。比如石头下面圆圆的球鼠妇，它强大吗？又比如流连花丛的蝴蝶，它也是存活下来的强大动物吗？还有植物——盛开在田野的小花在自然界中得以幸存，看似弱小的它们或许也是强者。

对生物来说究竟什么是“强”？

唯一还是第一

人气天团SMAP的热门歌曲《世界上唯一的花》中有一句歌词叫“不一定要成为No.1，只因原本就是独特的存在”。

人们对这句歌词的理解大致分为两种。一种是按照字面意思，即“唯一”很重要。当今世界是个竞争社会，但并不是只有“第一”才有价值。我们每个人都是独特的存在，这不是很好吗？这是最普遍的看法。也有人觉得，如果认为自己是“唯一”就足够，那努力就没有意义了。如果世界是个竞争社会，人们又不再争第一，那一切还有什么意义？这种想法也可以理解。

所以究竟应该追求唯一还是第一？你更赞同哪种

观点呢?

其实关于这个问题，生物的世界有着明确的答案。

只有第一才能活下来

生物世界有一条铁律，那就是只有第一才能活下来，这被称为“竞争排斥原理”。苏联生态学家格利高里·高斯做了一个实验，在同一个水槽里饲养两种草履虫，一种是大草履虫，另一种是双核小草履虫，在水和食物都很充足的情况下，最终只有一种草履虫幸存，另一种则被驱逐并灭绝。两种草履虫互相争夺食物和生存场所，激烈竞争直到某一方灭绝。因此，它们无法共存（图5-1）。

只有第一能生存，这是自然界的严峻法则。虽然人类社会也是竞争社会，但竞争的激烈程度远远比不上自然界。人类社会的第二名和第三名能获得银牌和铜牌，但在竞争激烈的自然界中可没有第二名，第二名就意味着将要灭绝。

果然，“唯一”是没有用的吧。不过这样想还为时尚早，故事并没有这么简单。

当我们观察自然界后会发现其实大自然里共存着各种生物。在本应只有第一名生存下来的自然界中，那么多生物是如何共存的呢?

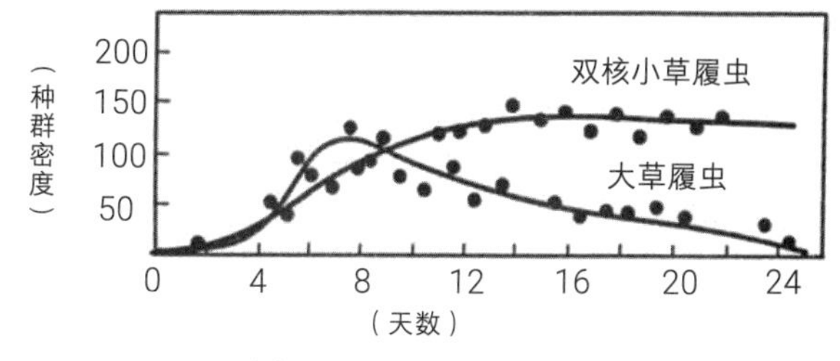

图5-1　大草履虫与双核小草履虫的激烈竞争

和平共处的生物

实际上，高斯的实验还有后续。他更换了草履虫的种类，尝试用大草履虫和绿草履虫做实验。于是，令人惊讶的事情发生了，两个种类的草履虫在同一个水槽中实现了共存。

奇怪，为什么第一次实验里的两种草履虫无法共存，但这个实验里的却实现了共存呢?

实际上，大草履虫和绿草履虫的栖息场所和食物都不一样。大草履虫栖息于水槽的上方，以漂浮的大肠菌为食；绿草履虫则栖息于水槽的底部，以酵母菌为食。也就是说，即便处于同一个水槽中，只要栖息的地方不同，那就不会互相竞争，可以实现共存（图5-2）。

这被称为“分栖共存生态”。比起为了居住地和食物激烈竞争，自然是和平地错开栖息空间和时间更

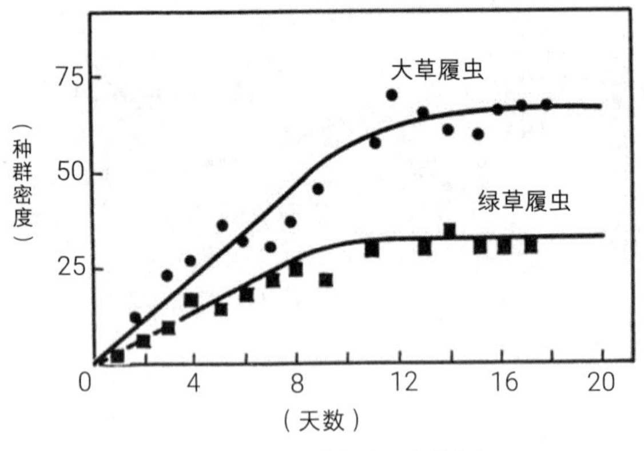

图5-2　大草履虫与绿草履虫的共存

好，这种方式成了生物的重要生存战略。

所有生物都是第一

只有第一才能存活——这是自然界不可撼动的铁律。但是，自然界中有各种各样的生物。也就是说，不同的生物在它们各自所在的地方都是第一；所有生物也都拥有这样一个地方，而这个地方就是生物的唯一。

到底是第一重要，还是唯一重要？相信大家已经知道了大自然的答案吧？所有的生物都是第一，也是唯一。

最开始介绍的SMAP的歌曲《世界上唯一的花》

其实讲的是“花店里的花”。如果是花店里被人类精心照料的花，那么即便不是第一，是唯一也就足够了。但是在大自然，生物如果找不到能成为第一的领域就无法生存。所谓唯一是自己找到的栖息地。

所有生物都是某个领域的第一。最后，赢得了第一的生物覆盖了整个大自然。

“错开”战略

所有生物都会稍稍错开自己的位置，寻找能够成为第一的领域，而错开的方式多种多样。

比如高斯实验里的草履虫采取了错开栖息地的方法，分别栖息于水槽的上方和底部。当然，在某些情况下，各种生物会栖息于同一个地方。例如在非洲的热带草原，斑马吃草原的草，长颈鹿吃高大树木的树叶，它们采取的是在同一个地方错开食物来源的方法；或者错开活动时间，比如日间活动和夜间活动。

像这样通过错开某些条件，所有生物都能找到成为第一的唯一场所。

在生物学上，生物各自的栖息地被称为“生态位”（niche）。

生物的生态位战略

在商业领域，“niche”这个词是一种营销用语，常被用于“利基市场”“利基战略”等说法。“niche”指的并不是大规模的市场，而是夹在大规模市场之间、特定的小规模市场空间。其实它原本是生物学用语，只是后来人们更熟悉它的商业含义。做市场用语时，它更多地代表“缝隙”之意，但它原本的意义也不止于此。

“niche”一词原指墙壁上用来放置装饰品的凹处，在生物学领域被引申为“某个生物种栖息的环境范围”，因此在生物学上被译为“生态位”。

一个凹处只能放置一个装饰品，同理，一个生态位只能居住一个生物种。所有生物都拥有自己独特的生态位。有些物种拥有大型的生态位，也有些物种屈居于狭缝之间的小型生态位。生态位不会互相重叠，一旦重叠就会发生像第一个草履虫实验那样的事情，在激烈的竞争后只有一个物种得以幸存。

如此，世界上所有的生物都拥有各自的生态位，整个世界被各种生物的生态位全面覆盖，就像拼图一样，从而形成了具有“生物多样性”的世界。

植物的分栖共存生态

那么植物呢？种群分栖共存的现象在动物世界很常见，但在植物的世界里，森林中树木茂密生长，原野上盛开着很多花儿，它们共享着阳光和水分等资源。乍一看，同一个地方生长着很多植物，并且和动物世界不同，很多情况下，我们并不清楚它们是如何错开生态位的。

但是，即便各种各样的植物看上去“共处一室”，可实际上它们依然遵循着高斯定律，将栖息地各自分开。譬如在树木繁茂的森林里，其上方是树叶茂密的高大树木，下方分布着低矮树木，底部则生长着草，小草沐浴着透过树木枝叶的缝隙洒下的阳光。

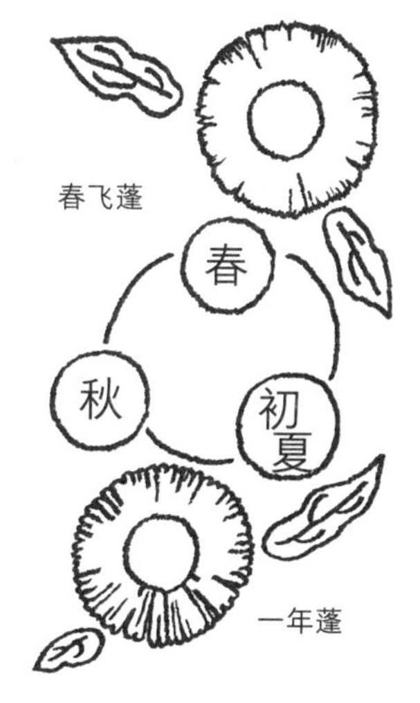

虽然杂草似乎在哪里都能生长，但仔细观察会发现，它们生长的地方是固定的。比如生长在路边的杂草和生长在公园的杂草，它们的种类其实不一样。即便是在路边，分别生长在人类经常踩踏的人行道中间、很少被踩踏的道路角落以及完全不被踩踏的道路外侧的杂草也不一样。杂草也根据环境分栖共存，并不是随心所欲地四处生长。

即便是生长在同样的位置，也可能有不同的生态位，让我们来看个例子。春飞蓬和一年蓬这两种杂草都是原产自北美的外来植物，外观极其相似，且生长环境也相同，所以很难分辨。它们生长在同样的地方，生态位看似重叠，其实仍是错开的。春飞蓬盛开在春天，而一年蓬在初夏到秋天盛开。它们在时间上错开生态位，各自生长。

西洋蒲公英和日本蒲公英谁更强

接下来让我们来看看蒲公英的例子。在日本，常见的蒲公英大致分为两类，一类是从外国传来的西洋蒲公英，一类是起源于日本本土的传统日本蒲公英。实际上，西洋蒲公英还分为很多种，日本蒲公英也包含关东蒲公英和关西蒲公英等几个种类，但在这里我们简单地把它们分为“西洋蒲公英”和“日本蒲公英”两大类。

外来的西洋蒲公英正在不断增加，而传统的日本蒲公英则日渐减少。因此，看上去是西洋蒲公英取得了绝对的胜利。但事实并非如此，因为西洋蒲公英和日本蒲公英的生态位不同。让我们来比较一下它们各自的特征吧。

首先是种子的大小。西洋蒲公英的种子更小更轻，而蒲公英利用风力让种子飞翔，所以种子小的西洋蒲公英能让种子飞到更远的地方，而且因为种子小，数量就可以更多。因此，西洋蒲公英的种子数量比日本蒲公英更多。

其次，日本蒲公英是异花授粉，如果蜜蜂和牛虻等昆虫不帮忙运送花粉就无法生产种子；西洋蒲公英则是自花授粉，只靠自己就可以生产种子。因此，即便没有蜜蜂和牛虻，西洋蒲公英只要有一株就可以繁衍。

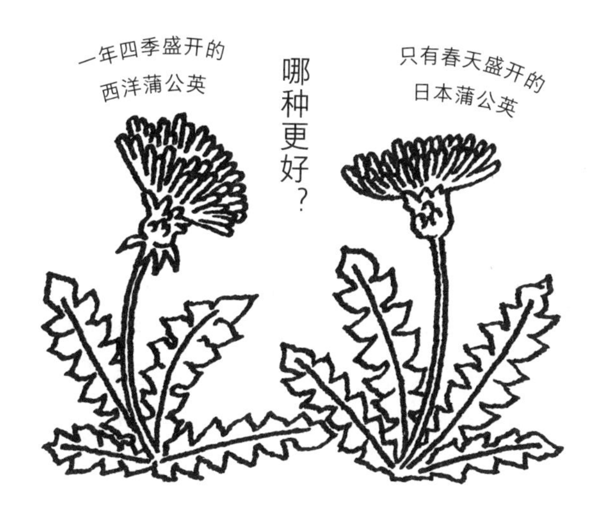

不仅如此，日本蒲公英只在春天盛开，而西洋蒲公英全年都可以开花。因此，西洋蒲公英可以接二连三地开花、生产并播撒种子。

这样看来，西洋蒲公英的繁殖能力比日本蒲公英更强，所以人们才会觉得它超越了繁殖能力弱的日本蒲公英。但是事实并非如此，日本蒲公英有自己独特的战略。

熟悉日本自然的日本蒲公英的战略

日本经常会做一项以蒲公英为对象的“蒲公英调查”。西洋蒲公英多分布于城市，日本蒲公英则常见于保留自然风貌的田园地区和郊外。因此，我们可以通过观察西洋蒲公英和日本蒲公英的分布了解环境城市化的程度。

实际上，日本蒲公英在自然条件优越、有其他植物生长的地方占据有利地位。日本蒲公英的种子比西洋蒲公英的更大——的确，又大又重的种子不利于飞往更远的地方，却可以长出更大的芽。在和其他植物竞争时，这一点非常重要。此外，通过和其他花朵杂交，它们可以繁衍出多样化的后代，从而有利于在多样化的环境下应对各种病虫害，最终得以在大自然中幸存。

日本蒲公英的重要战略就是“只在春天盛开”。

它们在春天快速播撒种子，盛开之后地面上的部分便自行枯萎，只留下根部。夏天，植株在地下休眠，这种行为和冬眠相反，被称为“夏眠”。临近夏天时，其他植物会伸展枝叶、旺盛生长，但小小的蒲公英即便挤破脑袋也抢不到光照，无法存活，所以它们避开和强者植物的无用之争，在地下等待度日。夏天的竞争者太多，很难成为第一，所以日本蒲公英选择在对手发芽前就完成开花、播撒种子的任务。

同时，由于西洋蒲公英不了解日本的自然环境，所以在其他植物茂密生长的夏日也舒展叶子、盛开花朵，最终迎来枯萎的结局，无法存活。虽然看上去都是枯萎，但日本蒲公英只是叶子枯萎、“真身”休眠，完全没有受到损害。所以，相较于全年盛开的西洋蒲公英，虽然日本蒲公英只在春天盛开，好似身处劣势，但这恰恰是它的战略。

由此可见，西洋蒲公英无法在有其他植物的地方生长，所以只能选择在其他植物无法生存的城市路边开花并扩大分布范围。这样一来，看上去是西洋蒲公英越来越多、日本蒲公英越来越少，但这种现象实则是因为能够支持其他植物生长的日本本土的自然环境范围正在缩小。

生态位越小越好

如果没有自己能在其中成为第一的生态位，那么任何生物都无法生存。此外，生态位并不是稳定的居所，各种生物都在相互竞争，为了保住生态位必须一直保持第一。

我们来举个例子。想在高中棒球比赛中荣获日本全国第一非常困难，想赢得都道府县的第一则相对容易。不过这依然不简单，夺得市町村桂冠的难度相比前者又下降了一些，再退一步，如果把比赛范围限制在町内，那应该会少很多对手吧！缩小范围后，赢得第一就会变得相对容易。

在棒球比赛中，如果不是单纯以成绩论输赢，而是从更多方面来评比胜负，比如安打率、跑垒速度、接球准确度，那拿到第一的概率就更高。如果比赛谁知道最多专业棒球选手的名字，那即便不擅长运动也可能赢得第一名。当条件限定范围缩小以后，荣获第一名的机会就会更多。比起一味地互相竞争，倒不如错开条件去寻找能够成为第一的方式。

因此，很多生物都会占据并守护一个小小的生态位。每个生物的生态位都很小，意味着可以拥有自己的生态位的生物更多。正因如此，才有这么多的生物共存于自然界。

弱者如何赢过强者

英国生态学家约翰·菲利普·格莱姆提出了CSR策略，将植物的成功战略大致分为三种类型。提起CSR，或许会联想到企业社会责任（corporate social responsibility），但格莱姆所提出的CSR策略指的是C策略、S策略和R策略。

C是竞争型策略（Competitive）。采取这种策略的植物擅长竞争，会以压倒性的优势战胜其他植物。也就是说，它们就是所谓的强大植物。

自然界是个弱肉强食的世界，这个道理同样适用于植物界。但要说只有强大的植物才能成功，倒也并非如此，这也是自然界的有趣之处。在弱肉强食的世界，什么情况下弱者能胜过强者呢？让我们以棒球比赛为例。

假设对战双方分别为专业棒球队和高中棒球队，前者是联盟赛的冠军，后者却从未在正式比赛中打过胜仗。首先，棒球这种规则复杂的竞技比赛很容易爆冷。如果专业棒球选手和高中生只是单纯地比技术，比如比本垒打或者球速，那么只要没有意外，一定是实力更强的一方获胜。但对实力弱小的一方来说，比起以单纯的技术标准来决胜负，像棒球这样受各种因素影响的比赛更容易产生赢的机会。

把恶劣条件变成机会

那么就让我们开始这场专业棒球队和高中生队的对战吧！

首先假设客观条件很好。天气晴朗无风，非常适合打棒球。场地的草坪修剪整齐，球场状态达到最佳，全场坐满了观众。在这种绝佳的环境下，每个打棒球的人应该都想站到场上大展身手吧！——哦不，我想甚至连棒球小白也会跃跃欲试！

在如此优越的环境下，比赛结果会是什么？即便打上一百场，专业棒球队也会无一败绩。因为在优越的环境条件下，两支队伍都可以充分发挥实力，那必然是强大的队伍获胜。

反之，再来假设一下条件恶劣的情况，最好是极端恶劣的那种，比如下暴雨。在倾盆大雨中，能见度很差，而且还刮大风，根本不知道球会飞到哪里去。场地光秃秃的，全是泥也就罢了，甚至还有水洼。更糟糕的是连裁判都不专业，接连做出错判。这样的条件下，应该没有人想打棒球吧？但恰恰是在这种情况下，弱小的高中生队有可能创造取胜的奇迹；即便不赢，也有可能平局。

相比习惯在全天候圆顶球场训练的专业棒球队，高中生的条件差得多，他们一直在狂风呼啸的体育场里待着，常常在水洼里满身是泥地反复练习，那结果会怎么样？爆冷的可能性会越来越大吧？

不，如果环境条件差成这样，专业棒球队可能会拒绝比赛。对于专业棒球队来说，如果在客观条件很好的情况下打球肯定不会输；而在恶劣条件下，明明有可能会输还去比赛，压根没有必要。这样的话，高中生就会不战而胜。

我们都不喜欢恶劣条件和逆境。但对于弱小的队伍来说，如果是以胜利为目的，那么恶劣条件反而会变成机会。所以，除了采取C策略的强大植物，其他植物必须在条件恶劣的地方寻找出路。

弱小植物的策略

对于弱小的植物，即不擅长竞争的植物，它们的成功策略是S策略和R策略。

S策略被称为压力耐受型策略（Stress tolerance），即擅长应对压力。不仅现代人背负着压力，植物也一样。植物的压力来自不利于繁殖的环境因素，比如缺水、气温低等。S策略擅长应对这些压力。

仙人掌等是实行S策略的代表性植物。干燥的沙漠环境对植物来说极其严苛，在那样的环境下不会发生激烈的竞争。因此不论多擅长竞争，C策略在这时候也毫无用武之地，植物甚至无法存活。

在高山上忍受严寒的高山植物也是实行S策略的

代表性植物。海拔越高，茂盛的树木越难生长，而较为低矮的树木和小小的野花则会遍布山体斜坡。

如果想在沙漠和高山等残酷的环境里活下去，必须拥有应对过度压力的抗压能力，而不是竞争能力。

弱者喜欢变化

格莱姆提出的第三个策略是R策略，一般被称为杂草型策略（Ruderal）。Ruderal一词意为“在荒地生长”，日语中被译为“干扰适应型”。所谓“干扰”就是环境发生巨大变化。R对策是一种擅长应对变化的策略。

环境变化非常可怕。大家都希望生活在熟悉稳定的环境中。即便非变不可，也希望尽可能把变化幅度控制在可预见的范围之内。但是在稳定的环境下，强大的植物优势更大，弱小的植物无法战胜擅长竞争的植物。所以为了获得生态位，它们必须寻找能打败强大植物、成为第一的地方。因此，使用杂草型策略的植物会选择多变的不稳定环境，因为在这种情况下，强大的植物无法发挥优势。

强者是如今环境的胜者。但环境变化对所有生物来说都会产生威胁，尤其是对于强大的植物，不知道它们是否还能够保住第一的王座。如果环境瞬息万变，擅长竞争者则未必有优势，这时更需要擅长应对变化的随机应变的能力。

格莱姆提出的CSR策略并不是说一定要把植物划为这三种中的某一种，其实很多植物同时具有C策略、S策略和R策略的要素，通过调节三者之间的平衡而发挥自己独有的优势。

弱小生物获得生态位的机会

恶劣条件是很多生物获得生态位的机会。其中，环境发生变化具有很大的意义。

对生物而言，“稳定的条件”和“发生变化的不稳定条件”哪种更好？生物在不稳定的条件下必须耗费精力应对变化，所以肯定是稳定的条件更好，但稳定的条件只对擅长竞争的生物有利。强大的生物会为了扩大自己的生态位而挑起竞争，在稳定的环境下，擅长竞争者更容易成为第一。

发生变化的不稳定条件相对比较复杂。但发生变化就会产生各种各样的环境，环境的多样化意味着成为第一的机会也会相应增加。也就是说，于各种弱小的生物而言，不稳定的条件反而可以增加它们获得生态位的机会。

比如在我们前面提到的棒球比赛中，可以在安打率、跑垒等方面成为第一。如果将足球、田径等运动也纳入考量范围，那获胜机会也会增加。除了体育，再加入美术、音乐等科目，那么机会会越来越多吧。

因此，比起稳定的条件，多变的不稳定条件反而能增加生物的种类，让更多的生物获得成为第一的机会。

复杂环境蕴藏着机会

美国生态学家康奈尔提出的“中度干扰假说”就是一个很好的解释。如图5-3所示，横轴表示干扰程度。干扰即扰乱，对于生物来说意味着环境发生急剧变化。越往右，环境变化越大。纵轴表示在相应环境下生存的生物种数量。

我们来看看图的右半部分。干扰越大，即越往右，可以存活的物种数量就越少，也就是说，如果变化过大则无法应对。再来看看图的左半部分，即便干扰程度变小，能够存活的生物种还是很少。稳定的环境下会发生激烈的竞争，只有擅长竞争的生物能够幸存，弱者则会灭绝。因此，可以存活的物种数量就会减少。

但在存在适度干扰的不稳定条件下则未必是强者胜，变化所造成的多样化环境里栖息着多种生物。因此，中等程度的干扰反而会增加能够存活的生物种。

大家都讨厌变化，尤其是不可预测的变化。但就像“危机=机遇”这句话所说，存在变化的不稳定环境对于很多生物来说恰恰是机会。

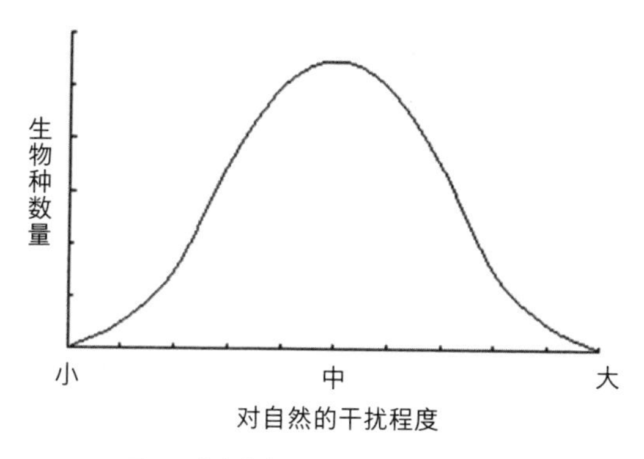

图5-3 康奈尔提出的“中度干扰假说”

第五章小结　可以逃跑，也可以选择和平主义

植物的策略分为三种：C策略（竞争型）、S策略（压力耐受型）和R策略（干扰适应型）。其中，擅长竞争的植物会采取C对策，不擅长竞争的植物则会采取S对策和R对策。

S策略和R策略也被称为“和平策略”，采取这两种策略的植物因为不擅长竞争，所以选择在强大植物无法生存的地方寻找栖息地。这两种策略讲求的并不是所有情况下都要和强大植物硬碰硬，可以逃跑，也可以选择和平主义。

对于年轻的读者朋友来说，选择不战斗的“和平策略”或许有些丢人。但真的是这样吗?

植物并不是一味逃跑。虽然采取S策略的植物选择避开与强大植物的竞争，但它们只是改变了竞争对象，与有压力的严酷环境作斗争。采取R对策的植物也在和激烈的变化与干扰作斗争；身处弱势时不战斗，但在能够发挥自身优势的地方坚定斗争。关键在于明白自己“在哪里能成功”。而生物学中把能够发挥优势、成为第一的地方称为“生态位”。

例如，诺贝尔奖获得者山中伸弥以前的志向是成为一名整形外科医生，但后来他并未如愿，而是转向研究工作并取得了世界级的成就。或许他的确在努力成为医生的道路上半途而废了，但作为研究者，他成功了。

所谓“战斗”是指“选择战斗的地方”。

那么，因为不擅长竞争而选择S对策和R对策的植物是如何发挥优势的呢?让我们一起在第六章和第七章中来看看吧。

Chapter 06

植物如何战胜干燥？——弱小又强大的仙人掌

江户时代的书籍《说法词料钞》中有一节内容如下:“田里的植物日晒则枯萎，降雨则发育，因为它们是人工种植的。长在路边的春草则靠土壤自然生长，不依赖人力。大地的湿润让它们不会因为日晒而枯萎。”

人类精心培育的作物干枯，无人浇水的路边杂草却青翠茂密。为什么杂草历经日晒却没有枯萎呢?植物又是怎样和干燥作斗争的?

根部能伸多长

植物在地面下扎根。那么，植物的根伸得有多长呢?

曾有这样一项研究，把禾本科植物黑麦放在长宽均为30厘米、高50厘米的木箱里。黑麦是一种禾本科草本植物，能长到一两米高，如果把它伸展的根部全部连接起来，能有多长?

10米? 100米?

不对！令人惊讶的是，木箱里黑麦的根部长度达到了620千米！ 620千米是什么概念?相当于从东京跨越大阪和神户然后抵达姬路。小小的黑麦在地下却把根伸得这么长！据说如果把根部长出来的细根毛也算在内，长度达到了11200千米，这个距离似乎与地球的直径较为接近了。

黑麦好厉害，进行这项调查研究的人更厉害！在日语里，我们常说“根性”，比如“有根性”“根性强”，意思就是“有毅力”“毅力强”。我们都知道“根”非常重要。植物就这样坚固稳定地伸展着根部。

根部是什么时候生长的

那么，植物是什么时候长根的呢？

在水分充足的环境下，植物的根部出乎意料地并不生长。大家小学的时候有用水培法养过风信子和藏红花吗？如果用水培法种植植物，那么植物的根部就不太会生长，粗根只长几根，细根则几乎不长。因为可以轻松地吸收水分，根部只以最低限度生长。

那在缺水的地方呢？如果水分不足，植物的成长理应会受到限制。但一般来说，地下根部的生长并不像地上部分那样受限。而且因为地上部分生长受限，根的数量反而会比茎和叶子更多。在干燥的条件下，我们可以观察到植物的根部有明显的生长。正因为缺水，根部才会为了寻找水源而向更深的地下生长；同时促使根毛生长，从而让根部从四面八方吸收水分。所以对于根部来说，干燥期也是生长期。

前文我们提到为什么杂草反而青翠，秘密正在于此。

人们每天都会给作物浇水，但杂草没有这样的条件，常常需要和干燥作斗争，所以杂草根部的生长方式也与众不同。扎根深是为了在日照时充分吸水。植物的生长既为人类可见，也在不可见之处。比如地下根部是如何生长的我们就看不见，但恰恰这个部分才是植物的强大所在。

沙漠植物的根

沙漠植物是如何扎根的呢？

沙漠里也生长着金合欢树等约10米高的高大树木。为什么在缺水的沙漠，它能够维持如此庞大的体形呢？秘密其实在地下。沙漠树木的根部会延伸到地下50米左右，然后将位于很深处的地下水吸上来。

大树可以从地下把水吸上来，但根部无法到达地下蓄水层的植物该怎么办呢？

在降雨稀少的沙漠，地面十分缺水。但是由于昼夜温差很大，沙漠地区会在夜间起雾然后产生露水。而且干燥地区的降雨虽然干涸得很快，但雨后的地表还是会有水分残留。因此，小树的树苗在离地表近的地方扎根，收集水分。

仙人掌是有名的沙漠植物，它的根部也很浅，从而便于收集地表的水分。而且，仙人掌的根部必须按照策略向某个方向生长，随意生长是没有用的。

何处决胜负

仙人掌是一种奇妙的植物。说起来，为什么仙人掌喜欢沙漠那种残酷的环境呢？

我们在前一章已经介绍过，弱小植物的其中一种策略是擅长抗压的S对策，而仙人掌就是其典型。对于植物来说，水是生存不可或缺的物质之一。可是，仙人掌偏偏生长在降雨稀少的沙漠和干燥地区。在这种过于残酷的环境下，擅长竞争的植物就算发挥优势也无法生存，所以仙人掌为了避免和强大植物竞争而选择了这种环境生活，即采取“和平策略”。

但是这种行为并不是在胜负之战中当逃兵。虽然避开了和其他植物的竞争，但它要和另一个麻烦的敌人“干燥”作斗争。正如前文所说，所有生物都拥有“能够成为第一的唯一场所”，所以没必要勉强自己和强大植物相互竞争，但必须寻找自己擅长的领域然后获胜。对仙人掌来说，这个领域就是干燥地带。

为什么仙人掌有刺

仙人掌有很多刺，这些刺存在的意义是什么呢？其中之一是避免被草食动物吃掉。由于干燥地带很少有植物能作为草食动物的食物，所以现有的植物很容易变成它们的盘中餐。而且因为缺水，被吃掉的茎部和叶子也无法马上再生，所以一旦被吃就会造成极大伤害。因此，它们用刺保护自己。

但刺的作用不仅如此。仙人掌的刺由叶子转变而来。如果叶片展开，珍贵的水分就会从叶子表面蒸发。所以为了将叶子的表面积减到最少，仙人掌的叶子退化成针状。

如果单纯为了防止水分蒸发，那么刺的数量理应越少越好，但仙人掌的刺必须保持在一定密度。据说如果失去了全部的刺，茎部的温度就会上升，简直不可思议！所以仙人掌的刺还可以降低茎部温度。其原理在于通过茂密的刺折射光线，从而避免茎部被阳光直射；尖刺的前端还能吸附空气中的水分，然后降低温度。为了在沙漠生存，仙人掌的刺不可或缺。

仙人掌把叶子变成了叶刺，但叶子是进行光合作用的器官，而叶刺“难担此大任”，因此仙人掌通过茎部进行光合作用。

仙人掌的茎很粗，内部还可以用来储水。有一种仙人掌叫仙人球，它呈圆形是有原因的。仙人掌在茎部储水，但水会从茎的表面蒸发。如果为了储水而让茎部变粗，其表面积肯定会变大，蒸发的水量也会变多。在相同的体积下，球形的表面积最少，所以为了既不影响储水又减少表面积，球形是最合适的。因此，很多仙人掌都是正圆形。

通过涡轮发动机提高动力

但问题仍然存在。

即便通过减少叶子的表面积来锁住水分、防止蒸发，水分还是会因蒸腾作用从气孔流失。植物为了生存必须进行光合作用。光合作用就是用二氧化碳和水制成糖，从而形成能量源。为了吸收二氧化碳，植物会打开气孔，也就是叶子上的换气口。但气孔一旦打开，在吸收二氧化碳的同时，重要的水分也会从气孔蒸发。

这个问题该如何解决？一种名为“C4植物”的植物出现了。C4植物具有名为“C4途径”的光合作用结构，它并不特殊，常见于单子叶植物和双子叶植物等各种植物。因此，C4植物的光合作用结构进化得非常多元化。

相对于C4植物，我们把进行普通光合作用的植物称为C3植物。一般来说，植物都通过C3途径来进行光合作用，C4植物也一样，只不过额外多了C4途径（图6-1）。C4途径类似于汽车的涡轮发动机。涡轮发动机的工作原理是通过涡轮增压器压缩空气，然后将大量的空气送进发动机里，从而输出功率。光合作用的C4途径也有着类似的机制。C4途径将吸收的二氧化碳转变成具有四个碳的苹果酸等C4化合物，然后将C4化合物送往C3途径，相当于将碳进行压缩。这样做，C4植物可以发挥更强的光合作用。

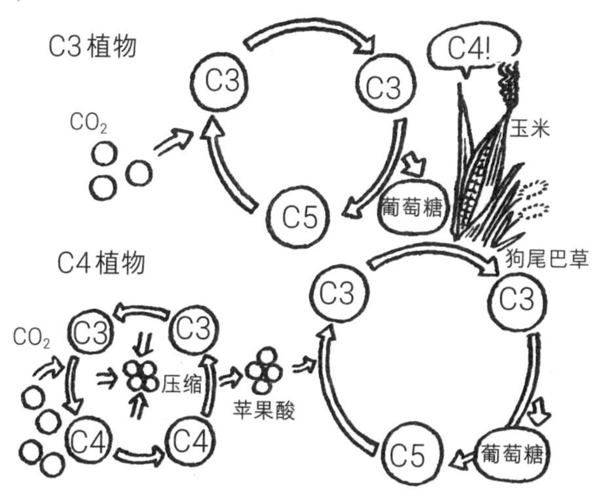

图6-1 C3植物和C4植物光合作用结构的区别

为什么C4植物耐干燥

拥有这种结构的植物很常见。例如玉米就是代表性的C4植物，还有昵称为“逗猫棒”的狗尾巴草等禾本科杂草，这些C4植物都具有耐干燥的特征。即便是在夏天的炎炎烈日之下，玉米仍旧长得青翠茂盛，路边的禾本科杂草也不会枯萎、活力满满，这正是因为它们是C4植物。

那么，为什么C4植物耐干燥呢？植物打开气孔时会吸收二氧化碳，但C4植物并不直接使用这些二氧化碳，而是将其转化为C4化合物。通过碳浓缩，C4植物能一次性吸收大量二氧化碳，由此减少打开气孔的次数。如果不打开气孔，水分就不会蒸腾，所以一定程度上可以防止水分流失。因此，C4植物耐干燥。

C4植物的缺点

就像涡轮发动机在高速行驶中发挥作用一样，高性能的C4光合作用在夏日的高温和强光照下非常有用。

光线对于光合作用来说不可或缺。光线越强，光合作用就越强。但如果光线太过强烈，超过了光合作用的承载能力，光合作用量就会达到饱和。之后即便光线变强，光合作用的合成量也不会继续增加，我们将这种光的强度称为光饱和点。这种感觉就像无论怎么踩油门，车的动力都不会再上升，车速也不会再变快一样。

但是，C4植物不一样。即便光线变强，C4植物也可以利用积蓄的C4化合物进行光合作用。因此，C4植物的光饱和点比C3植物的更高。

既然如此，那么所有植物都进化成C4植物岂不是皆大欢喜？但事实并非如此，全世界约九成的植物都是不具备C4途径的C3植物。

C4植物也有缺点。跑车高速行驶、引擎全开时的确一骑绝尘，但一旦遇上堵车，耗油量也高得离谱。C4植物也存在同样的问题。在气温高、光线强的条件下，它能最大限度地发挥光合作用的能力。但如果气温低或者光线弱，那么无论怎么输送二氧化碳，光合作用的能力都不会提升。驱动C4途径必须有能源，因此，在这种情况下，C4植物的光合作用效率低于C3植物。尽管C4植物在热带地区有着压倒性的优势，但在温带地区却没法独占鳌头。

双顶置凸轮轴的登场

C4途径是一种极其耐干燥的光合作用系统。但是，仙人掌拥有更耐干燥的结构。

汽车的发动机中有一种叫双顶置凸轮轴（DOHC）的系统。凸轮轴（CAM）是发动机控制系统的重要组件，分为吸气用和排气用。其中，配备两根凸轮轴的高性能发动机就是所谓的双顶置凸轮轴（DOHC）。而仙人掌还具有一种在干燥地区进行光合作用的高性能系统，并且它也叫“CAM”（图6-2）。植物学中的CAM一词是“景天科酸代谢”（Crassulacean Acid Metabolism）的简称，同名纯属偶然。

C4植物可以有效吸收二氧化碳并将其浓缩于C4途径中，所以能够将气孔的开合次数控制到最小限度。可尽管如此，打开气孔时水分依然会流失。

于是，CAM闪亮登场。

由于光合作用在有太阳光的白天进行，所以植物在白天开合气孔并吸收二氧化碳。但是因为白天气温高，如果打开气孔，水分就会蒸腾。因此，CAM植物决定在气温低的夜晚打开气孔，其他特征则和C4植物相同。CAM植物将夜间吸收的二氧化碳储存在C4途径中，在白天完全关闭气孔，利用积蓄的碳进行光合作用。通过白天和晚上使用不同的系统，它们成功地抑制了水分的蒸发。这一系统的运作概念类似于夜间电热水器，即在晚上烧水，将热水储存起来供白天使用。

仙人掌等干燥地带的植物正是通过这种名为CAM

的光合作用系统提高了耐干燥的性能。除了仙人掌，景天科植物、菠萝等也是代表性的CAM植物。

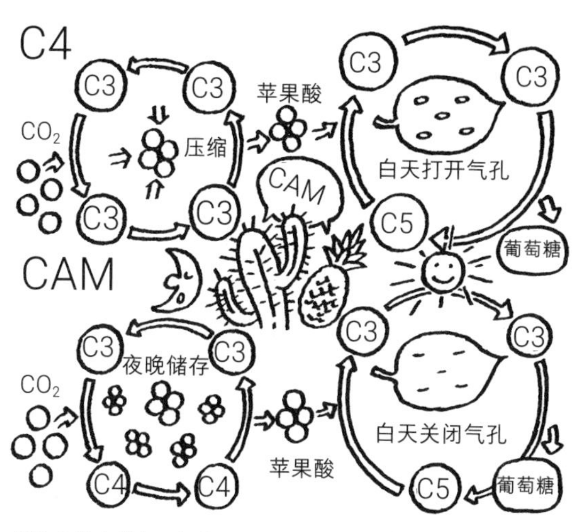

图6-2 仙人掌在干燥地区进行光合作用的高性能系统“CAM”

仙人掌的趋同进化

仙人掌是仙人掌科的植物。但在仙人掌科之外，也有植物和仙人掌非常相似。

例如芦荟，它像仙人掌一样多肉以积蓄水分，并将刺状物覆盖全身。大家或许会觉得惊讶：其实芦荟并不是仙人掌科的植物，而属于百合科。但是不知道为什么，比起百合，总觉得芦荟更像仙人掌。

明明是完全不同的生物种，适应环境发生进化以后却变得非常相似，我们将这种现象称为“趋同进化”。例如鲨鱼是鱼类，海豚是哺乳类，但进化出在水中快速游泳的能力后，它们就演变成了非常相似的形态。又比如鼹鼠是哺乳类，蝼蛄是昆虫。它们是完全不同的生物，但适应地下生活以后，进化出了非常相似的特点——都拥有发达的前足，方便挖掘地面。这些都叫“趋同进化”。

这种趋同进化也会发生在植物身上。从某种程度上来说，适应在干燥地带生存的形态是固定的。百合科的芦荟在干燥地带发生进化后也变成了和仙人掌相似的形态。

因营养不足而进化的食虫植物

有些植物不生长在干燥地带，但在营养匮乏的土壤中完成了特殊的进化。

即便是在降雨稀少的沙漠，只要一直等待雨水或者收集难得的夜间露水也可以获得水分，但如果缺乏土壤中的养分则毫无办法。那么在缺乏营养的地方，植物要怎样获得养分，怎样去成长才好呢?

在这种营养匮乏的环境下，有一种植物发生了进化，那就是食虫植物。食虫植物捕获虫子后将其消化吸收，从虫子那里获得养分。它们的捕虫方法各不相同。某些植物将叶子变成筒状或者罐状，做成陷阱让虫子掉进去，再用消化液消化虫子。人们熟知的食虫植物瓶子草和猪笼草等就是以这种方式捕虫的。也有些植物使用特殊的圈套捕获虫子，比如捕蝇草。当虫子停留时，捕蝇草的叶子会闭合来抓住虫子。还有些植物像毛膏菜一样通过叶子分泌黏液捕获昆虫。食虫植物的捕虫方法大致可以分为这三种类型：陷阱、圈套、黏液。

实际上，虽说统称为食虫植物，但其中的种类各不相同，例如瓶子草属于瓶子草科，猪笼草属于猪笼草科，捕蝇草属于捕蝇草科，毛膏菜属于毛膏菜科。被称为食虫植物的植物都有各自的科属。当植物处于营养匮乏的环境时便希望通过捕虫摄取营养，于是趋同进化成类似的形态。

为什么食虫植物特地选择营养匮乏的土壤环境生存呢？读者朋友已经知道了吧？

营养丰富的土壤虽然适合植物生长繁育，但竞争对手太多，很难

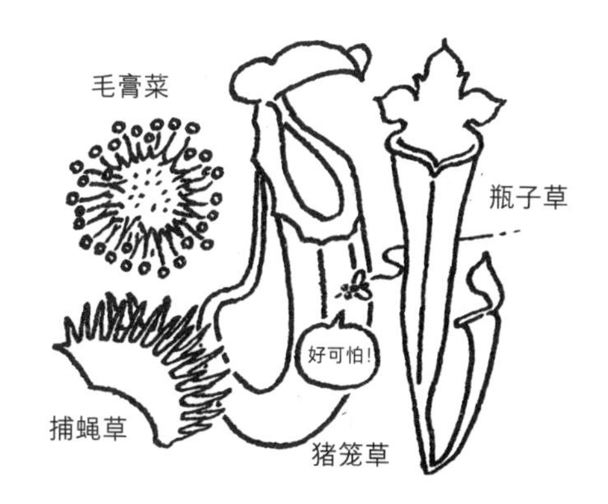

一直获胜。因此，食虫植物特地选在其他植物无法生存的贫瘠土壤中生存。食虫植物也掌握了S对策的精髓呢！

第六章小结　和压力战斗

植物常常背负着压力。光线变暗是压力，气温低是压力，缺少养分和水也是压力。

植物不会动，所以一旦在某片土地上生根发芽就只能在那个地方生存。就算对环境有怨言，环境也不会发生改变。因为环境无法发生改变，所以只能改变自己。就这样，植物接受了现有的环境，完成了各种各样的进化。

虽说如此，但并不意味着一定要忍耐过于残酷的环境。例如，植物大致会采取三种方法来应对干燥：逃避、规避、耐性。

为了逃离干燥，让球根等在土壤中休眠——这叫“逃避”，即不必正面接受压力，躲过即可；伸展根部以做好避免水分不足的准备——这叫“规避”，突如其来的压力会带来很大的伤害，但如果提前设想并做好准备，那压力就会由大化小；节约水分、耐住干燥的方法被称为“耐性”，虽说叫耐性，但并不是简单的咬紧牙关忍耐，而是关闭气孔、积蓄糖分，以调节浸透压防止水分流失。

植物不会动，但即便如此，也不是非得忍耐压力。它们可以通过结合运用逃避、规避、耐性等各种方法，努力与压力和平共处。

面对生存压力，选择逃离讨厌的事情可是一种非常厉害的策略哦。

Chapter 07 杂草真的那么顽强吗?

弱小又强大的杂草

大家觉得“杂草”是种什么样的植物？

很多人会觉得杂草怎么拔都拔不完，真是麻烦吧？或许也有人认为杂草很顽强。但无论如何，杂草很强大——这是大家公认的。

可是真的如此吗？其实植物学领域并不这么认为，反而将杂草认定为弱小的植物。但我们周围的杂草怎么看都不像是弱小的模样呀！为什么它看起来好像很强大呢？

杂草的弱小其实指的是它不擅于和其他植物竞争。我们在第五章中介绍过格莱姆对植物成功策略的分类，其中杂草被列为R策略的代表性植物，即干扰适应型。因此，杂草一般分布在那些擅长竞争的植物无法生存的、干扰性强的地方，譬如被耕种的田地、需要被除草的公园和河堤，或是经常被踩踏的路边。

在本书的最后一章，让我们一起来看看弱小的杂草到底是如何以强大姿态生存的吧！

杂草的成功策略

如果要用一句话来形容杂草的成功策略，我想那就是“逆境 × 变化 × 多样性”。我们逐一来看看这三个要素。首先，这里的“逆境”指的是“将逆境转变为机遇的能力”。

例如，很多人对杂草的印象都是被踩踏的同时依然顽强生存，对吧？其中车前草的策略尤其出众，它通常生长在没有被铺修过的道路和操场等容易被踩踏的地方，这些地方非常合其心意。因为车前草不擅长竞争，所以无法在有其他植物生长的地方争得一席之地。因此，它选择了在其他强大植物无法生存的、被踩踏的地方生长。

车前草的结构十分抗踩踏，它的叶子非常柔软。硬的叶子容易因踩踏的冲击而受损，而柔软的叶子反而能够吸收冲击力。不过如果叶子仅仅是柔软，被踩踏时就会被撕碎，因此，车前草的叶子具有很硬的筋。它抗踩踏的秘密就在于兼具柔软和坚硬的特性。其茎部的结构则与叶子相反。茎部的外侧很硬、难以切断，内侧却呈柔软的海绵状，非常软和。因为同样兼具坚硬和柔软的特性，所以车前草的茎部也很抗踩踏。

这种构造类似于头盔，外部很坚固，内里则衬有垫子，很柔软。

柔软=刚强

有一句话叫“以柔克刚”。看上去强大的东西不一定强大，看上去柔弱的反而有可能是强大的。

著名昆虫学家法布尔在《植物记》一书中对此也有所记述。书中有一则芦苇和橡树的故事。芦苇是一种生长在水边的细草，而橡树高大威猛。但在突然袭来的狂风中，橡树却险些被刮倒，于是芦苇对橡树说：“我不像你那样害怕风，因为我可以弯曲身体避免被折断。”

日本有一句谚语叫“柳树风”。橡树那样的大树虽然强大，但当狂风来临时却难以支撑，会被折断；可是看上去弱不禁风的柳枝却随风飘动，完好无损。芦苇虽然看上去很弱小，但从未听说过它被狂风刮断。由此可见，温和地躲开外力比一味地硬拼更厉害。

年轻的读者朋友或许很难理解为什么柔软也很强大，你们通常会认为毫不畏惧地正面迎战大风才是真正的强大，因为你们年轻、热血，会觉得像芦苇一样屈从于强大的力量是一种狡猾的生存方式。

但风是自然的力量。比起违逆自然的力量，顺从自然让自己活下去更重要。所以，能够顺应大自然的“柔软”才是真正的强大。

化逆境为机遇

车前草兼具柔软和坚硬的特性，十分抗踩踏。但它的厉害之处不止于此。

车前草的种子在被雨水等润湿后会分泌出胶状黏液并膨胀，接着粘到人类的鞋子和动物的脚上，从而实现种子搬运。车前草的属名叫“Plantago”，意思是用脚底运送。就像蒲公英借助风力运送种子一样，车前草通过被踩踏来传播种子。

我们沿路随处可见车前草，这是因为它的种子通过粘在汽车轮胎上等方式广泛传播。所以对于车前草而言，被踩踏既不需要忍耐，也不需要克服，它甚至利用了这一点来传播种子。如果不被踩踏，它还发愁呢！

我们说“将逆境转变为机遇”，或许会有人积极地将这句话解读为“把事情往好的方向想”。但杂草的策略并不止于此，更具体点说，它们是利用逆境取得成功。

例如有杂草生长的地方通常都被割过草或耕种过。一般来说，割草和耕种会严重影响植物生存，但杂草不同。当人类割草和耕种后，杂草的茎部会被切碎，而每一片碎片都会生根发芽，实现重生。也就是说，杂草通过“粉身碎骨”实现了“万寿无疆”。

而且就算将杂草悉数拔干净，不久以后它们又会齐齐发芽——地下有大量的杂草种子等待着发芽的机会。一般来说，种子大多都能在黑暗的地方发芽，但杂草的种子大多必须接受光照才会发芽。人们拔草并反复翻土后，光线就会射入土壤，这同时也形成了一个暗号，代表着其他杂草已被清除，所以地下的杂草种子一有机会就立刻争先恐后地发芽。

因此，即便人们觉得杂草已经被清除得干干净净，但很多杂草种子会瞅准这个信号不断发芽，反而导致杂草越来越多。

割草和拔草都是为了清除杂草，限制杂草生存。但杂草却将计就计，反而越长越多，真是执着的存在啊。

如何清除杂草

那么，究竟有没有办法能清除纠缠不休的杂草呢？据说有且只有一种方法，那就是“一草不拔”，真是不可思议！

杂草利用割草和除草等机会反向繁殖，如果人类停止除草，那么杂草和其他各种植物都会茂密生长，但杂草不擅长竞争，这时就会毫无立足之地。高大的草和灌木会逐渐生长出来，多年后，甚至会形成森林。假如这时人类不干预，就会发生所谓的“生态演替”。在这种大型植物茂密生长的地方，不擅长竞争的杂草必输无疑，最终消失不见。

其实杂草弱小但又强大，强大但又弱小。

就算这样做确实能将杂草清除得很彻底，但也会使该地区演变成茂密的森林。所以如果只是为了清除田地和庭院的杂草，这好像并不是很实用的方法呢。

抓住冬天的好机会

我们在第五章提到过日本蒲公英会比其他植物早一步开花。其实也有很多小小的杂草因为在初春开花而获得了成功。

但如果要在春天开花，那就必须在冬季展开叶子。所以即便是寒冬，那些在春天开花的植物也会舒展叶子进行光合作用，然后将获得的养分储存起来。对植物来说，在寒冬时节一边经历霜冻一边展开叶子并不容易，其实让种子在温暖的土壤里冬眠更加安全。但是到了春天，当其他在地下沉睡的种子方才苏醒时，在冬天也不忘伸展叶子的小小杂草利用储存的养分一口气开了花，抢在其他植物伸展叶子前便迅速地留下了种子。

当看到小野花在天气尚冷时就展露了笑颜，我们会感受到春天的来临。但它们一定早在冬天就伸展着自己的叶子了吧。

对于这些植物来说，冬季并不难熬。正因为强大的植物冬季时都在土壤中沉睡，它们才可以开花。如果全年的气候都温暖舒适，那小小的杂草可能根本无法开花。因此寒冷的冬天对在春天盛开的杂草来说不可或缺，正是冬天的寒冷帮助它们取得了成功。

化逆境为友军

有一句话叫“危机=机遇”。杂草将计就计利用逆境取得成功这件事恰好验证了这句话，并让我们人类得到了启发。

危机和机会展现着同样的面貌。

只要活着，所有生命就都会屡次碰到困难，而杂草这种植物会自行选择在逆境重重的环境生长。这个世界真的存在完全没有逆境的环境吗？答案显然是否定的，我们透过成片生长的杂草，就知道自然界满是逆境。

在逆境中生存的不仅有杂草，还有我们人类。我们在人生中会遇到无数逆境，也许当我们将自己的人生和路边默默开花的杂草做对比时会觉得感伤，其实，杂草在逆境中找到了求生之路并获得了自己的生存智慧。

杂草绝不像演歌[6]歌词里那样一边枯萎，一边忍

6　演歌，日本传统歌曲类别，也被称为“艳歌”“怨歌”等。

受；也不像热血运动漫画的主人公那样一味地咬紧牙关拼命。它的生存方式更加顽强，更加强大。“逆境不是敌人，而是友军”，这句话可以说完美概括了杂草成功策略的秘诀所在。

杂草战胜了很多逆境，获得了生存的智慧，完成了令人惊讶的进化。正是逆境让它们变得强大。可以通过逆境变强的不仅有杂草，我们人类也一定会因为不害怕逆境而变强。

“危机就是机遇。”我们决不能害怕逆境。

变化的力量

“逆境 × 变化 × 多样性”。杂草成功方程式的第二个关键词是“变化”。

正如第一章所说，植物的大小比动物的更灵活。第一章末尾也有写过，我们将植物变化的能力称为“可塑性”。而可塑性强的植物尤以杂草为甚，杂草可以适应环境，自由地变化大小。即便是同一种类，有些杂草超过1米，也有些杂草仅几厘米高。

这种大小差异在其他植物中也很常见，但杂草还有一个特点，那就是无论多小都会开花。人工培育的蔬菜及花坛里的花如果发育不良则无法开花，但杂草不同，无论条件多么恶劣，就算长得非常小也依然能开花并产生种子。

始终全力以赴

“即便身处逆境也顽强开花”符合很多人对杂草的印象吧？但杂草可塑性的重要程度不止于此。

著名的杂草学家贝克在论文《杂草的进化》中列举了满足“理想杂草”的诸多条件，其中包括“即便在不良环境下也可以生产种子”，以及“在合适的条件下尽最大可能繁殖，长期生产种子”。

意思是即便条件恶劣也能够生产种子，当条件优良时能够生产更多种子。大家是不是觉得这是理所当然的？其实不然，做到这一点非常困难。以人工栽培的蔬菜和花朵为例，如果施肥过度，那么只有茎和叶子会生长，重要的花朵则不会盛开，果实也会变少。我们似乎遗忘了对于植物来说最重要的是“留下种子”。但杂草不一样，即便条件恶劣，它们也会尽最大努力生产种子，如果条件很好更会拼尽全力。

有个指标叫“繁殖分配率”，即将自己所拥有的多少资源用于生产种子。而无论个体大小如何，杂草都具有最合适的繁殖分配率。

人类也是如此，当我们面对恶劣的条件和身处逆境时会很努力，当条件很好时却很难最大限度地发挥实力。

无论条件是优是劣，都会尽可能多地留下种子——这正是杂草强大的秘密。

随机应变

在路边、空地和田地等处有一种常见的杂草，名为“小蓬草”。它隶属于菊科，高度可以达到1米，无论在哪里都能生长。但或许是因为它的花朵也小小的，毫不起眼，所以很少有人注意到，因此我们也称它为“无名之草”。

小蓬草原本是一种相对大型的杂草，能长到1米左右。但在条件恶劣的地方它会像其他杂草一样变成10厘米左右的小个子。

不仅如此，小蓬草甚至还能为了适应环境改变生活周期。花坛里的花一般分为一年生和越年生两种。一年生植物春天发芽，秋天枯萎；越年生植物秋天发芽，越冬生长。花坛的花是一年生还是越年生取决于植物的种类。但是为了适应环境，有些小蓬草变成了一年生，有些则变成了越年生。

小蓬草原本是秋天发芽的越年生植物，冬季时展开叶子储蓄养分，在春天到夏天期间成长开花。但如果身处的环境存在很大干扰，它们

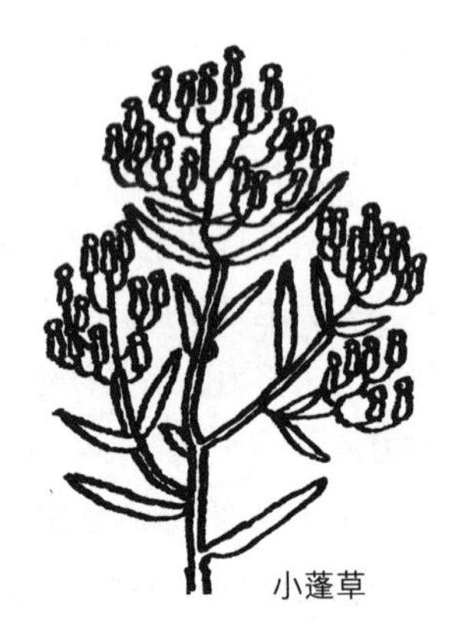

小蓬草

就没有时间去慢慢生长开花。因此在这种情况下，它会在春天和夏天发芽，在几个星期内就成长、开花，变成一年生植物。

虽然小蓬草来自北美，但如今已遍布全世界。在没有冬天的热带地区，因为没有必要过冬，它们似乎直接变成了一年生植物。就这样，小蓬草随机应变，甚至改变了自己的生存方式。

保护阵地？扩大阵地？

据说杂草的空间利用方法大致分为两种："阵地扩大型战略"和"阵地强化型战略"。"阵地扩大型战略"是横向生长、扩大自己的领地，"阵地强化型战略"则是标记领地、防止其他植物入侵。

根据杂草种类的不同，它们会采取不同的战略。"阵地扩大型"主要是让茎部横向延伸，"阵地强化型"则是不断向上伸展提高竞争力。那么，究竟哪一种更有利呢？

马唐草、鸭跖草等难缠的杂草采取的是"中间型战略"。其实，究竟阵地扩大型和阵地强化型哪种更有利，得视情况而定。因此，中间型战略的杂草会交替使用两种战略。它们会在没有敌人时选择阵地扩大型战略，在地面匍匐着横向伸展，逐渐扩大领地。一旦出现竞争对手，它们就会转变为阵地强化型战略，改为直立向上伸展，提高在领地的竞争力。

那么究竟应该扩大阵地还是守护阵地？根据不同状况使用不同战略的做法让中间型战略的杂草变得格外顽固。

变化的必需事项

为什么植物的可塑性比动物更强？动物可以自由活动，所以可以去寻找食物和巢穴。但植物不会动，所以无法选择生存环境，即便环境不适合生存和繁殖也没办法。它们不能抱怨，也不能逃走，只能接受。如果环境无法改变，该如何是好呢？那就只能改变自己去适应环境。所以植物变化的能力比动物强。

杂草的可塑性在植物中尤其突出，可以自由变化。对于这种“变化的能力”来说最重要的是什么呢？我觉得是“不变”。

对植物而言最重要的事情是开花和留下种子，这一点不会改变。因为生产种子这个目的非常明确，执行方式便可以自由选择。正因如此，杂草可以变化大小、生命周期或者生长方式。

也就是说，除了生存之外，有些事情发生变化更好，有些事情则不能变化。如果环境发生变化，杂草就必须继续变化；而如果必须变化，那么“什么事情不能变化”就变得很重要。

杂草一旦被踩踏就站不起来

无论怎么被踩踏都会站起来——这是很多人对杂草的印象。人们会将自己的人生和这样不服输的杂草做比较，然后从中获得勇气。

但事实并非如此，杂草一旦被踩踏就不会再振作起来。的确，如果只是被踩踏一两次，那还可以恢复。但假如屡次被踩踏，那么杂草终将直不起腰杆。这样的“杂草魂”可能会让人非常失望。可你有没有想过，为什么杂草一定要站起来呢?

对于杂草而言最重要的是什么?是开花留下种子。既然如此，比起把能量花在被踩踏后重新站起来这件无用的事情上，倒不如被踩踏时思考如何把种子留下来。因此，杂草即便被踩踏，也会利用最大限度的能量去开花，并确保留下种子。它知道什么是“不能改变的事情”，不会弄错努力的方向。

“毅力论”教育我们不论怎么被踩踏都要继续往上走，但杂草的生存方式却更强大。

第七章小结　把杂草作为象征的日本人

日本家族拥有代代传承的“家纹”。有一种家纹名为“片喰纹”，被列为日本五大纹之一，自古以来很受欢迎，战国武将尤其喜欢。但其中也蕴含着不可思议的事情。

片喰纹

片喰纹的真身是一种很常见的植物，叫酢浆草，路边和田地等到处都是。它的高度不足10厘米，花朵直径也仅3厘米左右。酢浆草的花朵称不上美丽，也不如松竹梅那样出众。可如此无趣的杂草，为什么却颇得武士中意，还把它作为华丽的家纹使用呢？

对战国武将而言最重要的是让家族绵延振兴。随处都能生长的酢浆草其实很难缠，不论怎么拔都不会消失，还会播撒种子扩展领地。于是，战国武将将自己后代的家族繁荣与小小杂草的强大联系到了一起。酢浆草看上去绝对不是强大的植物，但战国武将却深知它的厉害。

日语中有两个词叫“杂草魂”和“杂草军团”——呵，很少有人会赞美麻烦难缠的杂草。日本人观察杂草并发现了它的厉害之处。

除了酢浆草，日本还有很多家纹也以植物为主题。也有人撇开老虎、龙等看起来很强大的生物，选择植物作为象征。

日本人从一动不动的植物身上感受到了强大，而不是选择一看就很强的生物。究竟什么是真正的强大？或许我们的祖先知道答案。

结语

生物学对于初、高中学生是一门需要背诵记忆的课程。的确，生物学的很多知识都必须记住，它并不是一门通过计算就可以得出结论的课程。但是，生物在竞争中获胜，并在环境变化中幸存了下来，它们的生存方式很值得我们学习。大家背诵的那些生物学知识都是有道理的。如果你明白了其中的缘由，自然会知晓为什么生物学不是一门死记硬背的科目。

很遗憾，在生物学中大家好像尤其不喜欢植物学。

昆虫、鱼、鸟等动物的生活充满活力，所以很受人们欢迎。其实，一动不动的植物的生活才具有真正的生命力和戏剧色彩。

自然界的法则是“强者生存”，这是真的。但强大也分为很多种，正因如此，世界上才生活着各种各样的生物。其实，在这个世界诞生并活下来的生物都是强者。但到底什么是强大？如果错误地解读了这个问题，那有时候就会觉得自己非常弱小。

尤其是我们人类，因为人类是一种非常聪明的生物，所以反而会纠结于很多不必要的事情，或者在冥思苦想后做出错误的判断。或许因为人类都活在别人的目光里，所以会在乎别人的看法吧。在这一点上，植物的生存方式更简单。因为植物向上生长，所以眼里只看得到太阳，只要有太阳，它们就很幸福。只是接受阳光的沐浴，它们就能充分感受到自己活着。“在这个世上诞生并活着”——就是这么简单。

有些伟人以顺应天命自居，其实他们的这种生活哲学与植物的生活方式出乎意料地相似。

人类愁眉苦脸地背诵生物学，不如偶尔也和植物一起眺望天空吧，毕竟人类和植物都是为了“活着”。

其实这些道理都是公园里的杂草教给我的，我不过是个记录者。

在本书的最后，我希望将自己从植物那里学到的东西都传递给了年轻的朋友，毕竟这本书是为你们而写的。也许会有人觉得和植物对话很奇怪，或者从植物那里学习生活方式很无聊、很老土。但我希望当你对生存感到迷茫时，可以看一看弱小但强大的植物，或者和它们一起抬头看看天空，那也是个不错的选择。

最后，请允许我向筑摩书房的四条咏子致以深深的谢意，感谢您为本书日文版的策划与出版付出的心血。

小开本 CQST π N
轻松读 文库

产品经理：张宝荷
视觉统筹：马仕睿 @typo_d
印制统筹：赵路江
美术编辑：程　阁
版权统筹：李晓苏
营销统筹：好同学

豆瓣 / 微博 / 小红书 / 公众号
搜索「轻读文库」

mail@qingduwenku.com

一动不动的植物

植物はなぜ動かないのか

[日] 稻垣荣洋 / 著
[日] 龟田伊都子 / 绘
沈于晨 / 译

贵州出版集团
贵州人民出版社